M000012366

La ruta de don Quijote

Letras Hispánicas

Azorín

La ruta de don Quijote

Edición de José María Martínez Cachero

TERCERA EDICION

CATEDRA
LETRAS HISPANICAS

Ilustración de cubierta: Antonio López Torres
Ilustraciones de páginas 12, 105, 133, 145
tomadas de la 3.ª edición de la obra. Madrid, 1915

Ediciones Cátedra, S. A., 1992
Telémaco, 43. 28027 Madrid
Depósito legal: M. 4.821/1992
I.S.B.N.: 84-376-0498-2
Printed in Spain
Impreso en Fernández Ciudad, S. L.
Catalina Suárez, 19. 28007 Madrid

Índice

INTRODUCCIÓN

1. Modesto periodista 13
2. El año literario español de 1905 18
3. La literatura noventayochista de viajes por España 24
4. El viajero-cronista Azorín 32
5. *La ruta de don Quijote,* ruta literaria 34

Nuestra edición 47

BIBLIOGRAFÍA 51

LA RUTA DE DON QUIJOTE 73

I. La partida 77
II. En marcha 81
III. Psicología de Argamasilla 86
IV. El ambiente de Argamasilla 91
V. Los académicos de Argamasilla 96
VI. Siluetas de Argamasilla 102
VII. La primera salida 111
VIII. La venta de Puerto Lápiche 115
IX. Camino de Ruidera 120
X. La cueva de Montesinos 126
XI. Los Molinos de Viento 131
XII. Los Sanchos de Criptana 137
XIII. En el Toboso 143
XIV. Los miguelistas del Toboso 149
XV. La exaltación española 154

Pequeña guía para los extranjeros que nos visiten con motivo del centenario. The time they lose in Spain 158

Apéndice gazpachero 164

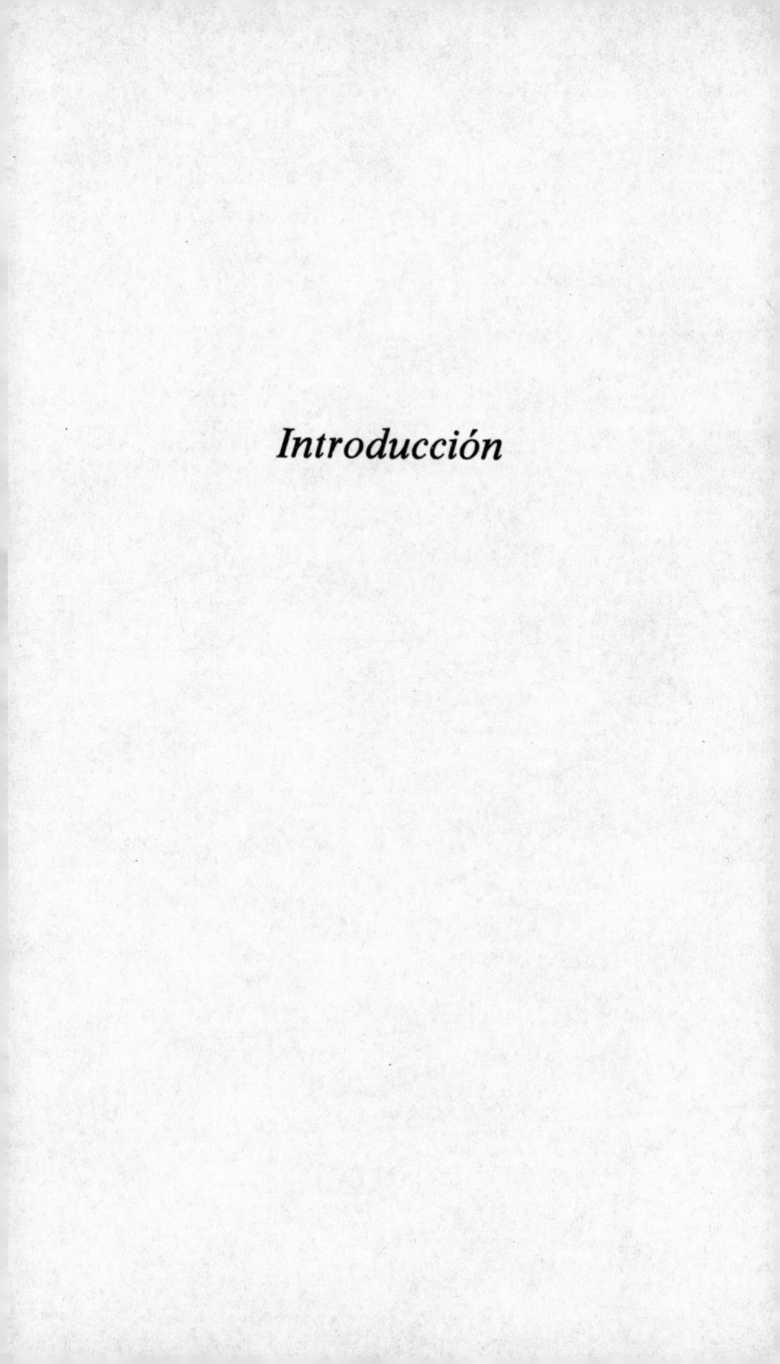

Introducción

A la memoria de
Mariano Baquero Goyanes (1923-1984),
compañero y amigo,
colega también en azorinismo.

Ruidera.—La posada.

1. *Modesto periodista*

¿Cabría aceptar a la altura de 1905 la caracterización que Azorín ofrece de sí mismo en el capítulo primero de *La ruta de don Quijote,* valiéndose de un plural enfático: «nosotros, modestos periodistas»? Su actividad literaria, cuyo comienzo data de la estancia en Valencia como estudiante universitario (1888 a 1896), se abre con las colaboraciones periodísticas en *El Mercantil Valenciano,* la revista *Las Bellas Artes* (de breve existencia) y *El Pueblo,* de Blasco Ibáñez[1], y versaban primordialmente acerca de asuntos literarios —crítica de estrenos, comentario de libros y autores[2]; alterna esas colaboraciones con sus folletos[3]. Trasladado nuestro escritor a Madrid, para concluir la carrera de Leyes y afirmar en más vasto ámbito su vocación literaria, continuará semejante alternancia y nuevos folletos, alguno de ellos tan explosivo como *Charivari* (de 1897), verían la luz al tiempo

[1] En su libro *Valencia* (1941), memoria de esta ciudad escrita bastantes años después de haberla abandonado, se refiere Azorín a los periodistas y periódicos como Teodoro Llorente y *Las Provincias,* diario conservador en el que no colaboraría (capítulos XVII, XVII bis y XVIII); como Blasco Ibáñez (capítulo XXXV) y don Paco Castell (capítulo L); o a su costumbre de asistir al teatro (capítulo XXXVIII).

[2] Rafael Ferreres ha dado el texto de esas colaboraciones de J.Martínez Ruiz en apéndice a su trabajo *Valencia en Azorín,* Valencia, Ayuntamiento de Valencia, 1968.

[3] Tales folletos (en número de 16, más traducciones), ciertamente curiosos y raros, que vieron la luz entre 1893 y 1901, fueron recogidos y presentados por Ángel Cruz Rueda en el tomo I de las Obras Completas de Azorín Madrid, Aguilar, 1947.

que su autor, metido de lleno en el ambiente de redacciones y tertulias, amigo de Baroja y de Maeztu (formando con ellos el grupo de los tres), hacía periodismo en *El Progreso* y *El País,* vgr., y colaboraba (al igual que otros jóvenes escritores) en *Revista Nueva*[4]. Es por entonces —un lapso de tiempo que concluye aproximadamente con la publicación de *La voluntad* y de *Antonio Azorín* (1902 y 1903)— cuando se declara anarquista (en una sesión del Ateneo: «¡Yo soy hombre de acción, no de palabras!»); cuando «Clarín», que elogia el artículo *Mi crítico*[5], desiste de prologar *Pasión,* un libro de cuentos que Martínez Ruiz no llegó a publicar[6]; cuando, finalmente, la después denominada generación del 98 da sus primeros pasos y Martínez Ruiz figura entre sus miembros más activos[7]. Hombres de pensamiento más que de acción (aunque otra cosa pudieran haber creído entonces), literatura comprometida la suya de ese momento (casi casi sus primicias), todo lo significativa que se desee pero de muy tasado valor artístico, si con ella hubiera concluido su actividad como escritores, ¿les concederíamos ahora la consideración crítica que les conce-

---

[4] Publicación decenal fundada y dirigida (1899) por Ruiz Contreras que en sus *Memorias de un desmemoriado* (Madrid, Aguilar, 1945) recuerda algunas vicisitudes de ella y la ayuda que prestó a jóvenes colaboradores, sus amigos, entre los que figuraba Martínez Ruiz.

[5] Informo del caso así como de la relación literaria y amistosa entre ambos escritores en mi artículo *«"Clarín" y "Azorín"* (Una amistad y un fervor)», *Archivum,* III, Universidad de Oviedo, 1953, páginas 159-180.

[6] Rafael Pérez de la Dehesa, «Un desconocido libro de Azorín: *Pasión (cuentos y crónicas),* 1897», *Revista Hispánica Moderna,* XXXIII, 1967, págs. 280-284. «Clarín» le negó el prólogo pedido («yo no me he atrevido a escribir un prólogo para su libro *Pasión,* próximo a publicarse») y fue Urbano González Serrano quien lo compuso; pero el libro, pese a estar reunido el material integrante (relatos y artículos aparecidos ya en la prensa), no salió a luz.

[7] Granjel da noticia en su libro *Panorama de la generación del 98* (Madrid, Guadarrama, 1959; capítulo IX) de algunas acciones de «intervencionismo público» de aquellos jóvenes escritores que parecían tener vocación política y en las cuales —manifiestos, protestas, visitas a prohombres del momento— tuvo Martínez Ruiz participación destacada.

demos en nuestra historia literaria?[8]. Luego de su tan peculiar acción política, de su irremediable fracaso —¿cabía esperar otro resultado? [9]—, vino para los llamados noventayochistas el abandono de un terreno extraño para ellos [10] y el consiguiente refugio en el ensueño —«el hoy es malo, pero el mañana... es mío», que diría Antonio Machado—; posteriormente, más de una vez, en Azorín como en otros compañeros de generación, despertaría aquel talante de ruptura y protesta frente a determinadas situaciones históricas españolas [11] y, asimis-

---

[8] Por lo que atañe a nuestro escritor esas sus primicias periodísticas (aparte lo indicado en notas 2 y 3) pueden leerse en el volumen recogido y ordenado por José García Mercadal *En lontananza* (Madrid, editorial Bullón, 1963) y en *Artículos olvidados de J. Martínez Ruiz (1894-1904)* (Madrid, colección «Bitácora», número 27): cuarenta y una colaboraciones, insertas en: *El Mercantil Valenciano* y *Bellas Artes* (de Valencia); *El País, El Progreso, La Campaña, Madrid Cómico, Revista Nueva, Vida Nueva, Juventud, El Globo, Los Lunes de El Imparcial, Alma Española, Blanco y Negro* y *Helios* (Madrid), y *El Pueblo Vasco* (San Sebastián).

[9] Bien paladinamente lo explicaba José María Salaverría, su coetáneo y no tan distante compañero: «Los hombres del 98 no podían hacer más de lo que hicieron, sencillamente porque eran débiles. Porque se hallaban mal situados. Porque eran literatos antes que nada y traían llenas las cabezas de las lecturas disolventes, anarquistas, hiperbóreas, que en la Europa de aquellos días se estilaban. Sus radicalismos no pasaban del restringido estadio de la literatura. Y su sistema político, si hay que darle tal nombre, en realidad se reducía a meras divagaciones paradojales muy propias de literatos egoístas que tratan de llamar la atención y ver de abrirse camino» *(Nuevos retratos...*, Madrid, Renacimiento, 1930, páginas 95-96.)

[10] Júzguese semejante «extrañeza» a base, por ejemplo, de reacciones y palabras de Antonio Azorín, personaje de *La voluntad*, en la segunda parte de esta novela; puede leerse en su capítulo I que «no hay cosa más abyecta que un político: un político es un hombre que se mueve mecánicamente, que pronuncia inconscientemente discursos, que hace promesas sin saber que las hace, [...] que sonríe, sonríe siempre con una estúpida sonrisa automática...». También puede servir a este respecto *El origen de los políticos*, «liviana fabulilla» incrustada en el capítulo XVII de la segunda parte de la novela *Antonio Azorín*.

[11] Es el caso de Unamuno, enfrentado hasta la prisión y el exilio con la dictadura de Miguel Primo de Rivera en los años 1924 a 1930 y, también, el de Azorín, autor en 1930 de *Pueblo* (subtitulada «novela de los que trabajan y sufren»), novela social *sui generis* cuya intención enlaza con los artículos publicados en el diario madrileño *El Sol* (pri-

mo, a favor de estímulos diversos: ahí está su abundante literatura viajera, que cae por lo general dentro de las dos primeras décadas del siglo, como nueva muestra de una siempre mantenida pasión española.

Nuestro escritor, que ha trabajado sin desmayo, impone su nombre en la república de las letras con los libros narrativos de 1902 y 1903 *(La voluntad* y *Antonio Azorín),* sus primeras obras importantes con las que contribuye, desde su modo de entender y hacer novela, al nuevo, joven y revolucionario sesgo del género entre nosotros que tiene en el año 1902 un hito decisivo[12]. Ocurre igualmente que a aquellos periódicos finiseculares tan de combate y a aquellos artículos en bastantes ocasiones demoledores, suceden otros periódicos más conservadores (entiéndase este vocablo desprovisto de connotaciones políticas inmediatas y concretas) como *España,* que dirigía Manuel Troyano y donde (número 8: 28-I-1904) empezó Martínez Ruiz a emplear el seudónimo «Azorín» o, al año siguiente, *ABC,* y unas colaboraciones cuyo acento expresivo se distingue por la levedad y la melancolía, a las que se añaden un amable escepticismo y una cierta carga irónica; no se trata (a mi ver) de escapismo sino más bien de marcar distancias respecto del hiriente tráfago cotidiano y, también, de adelantar en el cultivo de una manera o estilo muy distintivo y, al fin, encontrado. ¿Ha llegado la hora de que fuese revelado sin ambages aquel su «corazón de oro» y aquella inteligencia suya «clara y noble» que «Clarín» adivinaba como exis-

---

meros meses de 1931) en defensa de los obreros. Por lo que a escritos y manifiestos atañe Azorín, que había redactado más de uno en sus años de juventud, fue en febrero de 1935 el redactor de un manifiesto de protesta —«emocionada página» lo llamó Valle Inclán— ante las autoridades gubernamentales por supuestos malos tratos a los presos en Oviedo como consecuecia de la fracasada revolución de octubre de 1934; compuso también el escrito pidiendo la libertad de Antonio Espina, condenado a un mes de cárcel, en Bilbao, por un artículo contra Hitler, escrito que se negaron a firmar Antonio Machado, Unamuno y Ortega.

[12] Consúltense sobre este particular los capítulos I y II de mi libro *Las novelas de Azorín*, Madrid, Ínsula, 1960.

tentes en el autor de *Charivari?*[13], ¿está ya en el final del camino, llegando acaso a la cima de «lo puro, sencillo e intenso» (como calificara su arte Rubén Darío[14]) aquel Martínez Ruiz que había comenzado «violento y de combate»?[15].

Pese a tanta actividad le faltaba a nuestro periodista-escritor escalar lo que él mismo llama (y entonces así era considerada) «la cumbre»[16], esto es: el diario *El Imparcial*[17], en donde tiempo atrás había intentado entrar, sin éxito a pesar de la ayuda de Leopoldo Alas. Será en este año de gracia de 1905 cuando el deseo se haga realidad con la invitación de Ortega Munilla para que Azorín viaje *por* y escriba *sobre* la Mancha de don Quijote. A pulso (es decir: gracias a mucho y sostenido esfuerzo) fue Martínez Ruiz-«Azorín» situándose en nuestras letras de principios de siglo, en unos años no poco conflictivos por la presencia y el choque de tendencias muy

---

[13] De un «palique» en *Madrid Cómico,* núm. 742, 8-V-1897.

[14] De una semblanza de Azorín escrita por Rubén Darío en San Esteban de Pravia (Asturias), agosto de 1905, luego de una visita de aquél al poeta nicaragüense; dio a conocer el texto Jorge Campos, *Conversaciones con Azorín,* Madrid, Taurus, 1964, págs. 255-257.

[15] No sabemos con certeza cuándo ni por qué nuestro escritor comenzó a cambiar de modo tan notorio; conocemos sí las consecuencias de ese cambio y la situación literaria y personal anterior al mismo. Me parece atendible la siguiente hipótesis formulada por Pérez de la Dehesa (artículo citado en nota 6): «Creemos que la hipótesis más razonable es que el joven Martínez Ruiz tras los incidentes de *El País* y *La Batalla* tuvo una profunda crisis intelectual y moral que, junto con los consejos de Clarín, contribuyó a apartarle de su exaltado revolucionarismo. Es por ello razonable pensar que en aquellas circunstancias no quisiera publicar *Pasión,* el libro que el mismo Clarín no se había atrevido a prologar. De ser así, esta decisión es profundamente significativa, pues marca un cambio de dirección en la evolución ideológica de Azorín.»

[16] Así titula el capítulo XVIII de su libro *Madrid* (1941), donde se lee: «Llegar a la cumbre era cosa dificilísima. Sólo llegaban algunos felices mortales [...].»

[17] Manuel Ortega y Gasset, hijo de José Ortega Munilla, propietario y también director de *El Imparcial,* ha contado de primera mano la historia de este importante periódico español (que se publicó entre el 16-III-1867 y el 30-V-1933) en su libro *«El Imparcial». Biografía de un gran periódico español,* Zaragoza, 1956.

diversas. A los títulos ya invocados siguieron otros *(Las confesiones de un pequeño filósofo,* 1904, por ejemplo) hasta llegar a 1905 que fue año movido para nuestro escritor pues en su transcurso coincidieron algunos viajes por España —la Mancha, Andalucía, algunos balnearios de las provincias del norte[18]— y otro a París, enviado por *ABC* como cronista del viaje de Alfonso XIII, más la publicación de dos nuevos libros —*Los pueblos, La ruta de don Quijote*— de gentes, costumbres y paisajes españoles en los cuales queda bien dibujada y asentada la imagen azoriniana, tan distintiva, de la provincia (entendido el término «provincia» muy ampliamente: desde casi la aldea hasta la pequeña ciudad capitalina) e, igualmente, su práctica de lo que Unamuno llamaría la intra-Historia, al tiempo que se acendra y afirma (ya que ambos volúmenes ofrecen cumplida muestra del mismo) un estilo expresivo.

2. *El año literario español de 1905*

1905 fue un año importante en la historia de nuestras letras que estaban conociendo el nacimiento de la modernidad, ciertamente no sin esfuerzo ya que tendencias y generaciones harto diversas —en suma, gente vieja y gente nueva, como solía decirse— coexistían enfrentadas. Del mismo modo que los llamados con el tiempo noventayochistas[19] iban abriéndose camino e imponién-

---

[18] *Veraneo sentimental,* tomo segundo de unas llamadas Obras Pretéritas de Azorín, cuyo material fue reunido y ordenado por José García Mercadal, salió en 1944 (puede leerse ahora en el tomo VII de las O.C.) y agrupa crónicas de viaje de 1904 y 1905 (relativas a Oviedo, Caldas de Oviedo y Mondáriz).

[19] En 1904 (reseña de *Sombras de vida,* libro de cuentos de Melchor Almagro, prologado por Valle Inclán) Pérez de Ayala distinguía dos corrientes entre los jóvenes intelectuales españoles de entonces: «los artistas» (que coinciden con los modernistas, y Pérez de Ayala se siente próximo a ellos) y «los agrícolas» (los noventayochistas), así denominados porque consumen su tiempo hablando «del surco, de la semilla, de la morera, de las hazas interiores, de las entrañas yermas, del

dose, los modernistas, sus compañeros y amigos, venciendo obstáculos y hostilidades abundantes[20], se batían victoriosos contra los últimos supervivientes de la poesía post-romántica y acaso 1905 —con el discurso académico de Emilio Ferrari y sus consecuencias[21]— sea decisivo a este respecto. Disiento de Guillermo Díaz-Plaja cuando señala[22] a 1902 como año capital en la historia de nuestro Modernismo y creo que fue tres años más tarde cuando se produjo el triunfo de la innovadora tendencia; así lo acreditan (a mi ver) hechos como los siguientes: en 1905 muere Gabriel y Galán y se produce la protesta de la joven literatura contra el medio premio Nobel de 1904 concedido a Echegaray. Rubén Darío publica en Madrid su importante libro *Cantos de vida y esperanza* y lee poemas en el Ateneo (velada del tricentenario de la primera parte del *Quijote).* En la misma tribuna, y en noviembre del mismo año, lee Chocano, a la sazón residente en España, versos suyos que al auditorio le extrañan grandemente pero que terminará aceptando y aplaudiéndolos. En 1905 se publican varios libros modernistas, entre otros: *Rapsodias*, Francisco Villaespesa; *Teatro de ensueño,* Gregorio Martínez Sierra; *Edad dorada,* Mariano Miguel de Val; *Flor pagana,* Enrique de Mesa. De todos los hechos relacionados acaso el más detonante y significativo sea la actitud ante el anunciado homenaje nacional a Echegaray de la juventud literaria,

derramamiento, de la irrigación», escritores «con un vocabulario aprendido en catálogos de arboricultura y en manuales de perfecto cabrero» *(La Lectura,* Madrid, tomo I de 1904, págs.. 99-100).

20 Muestras curiosas y significativas de ello he ofrecido en mis artículos: «Algunas referencias sobre el anti-Modernismo español», *Archivum,* III, Oviedo, 1953, págs. 311-333; «Más referencias sobre el anti-Modernismo español», *Idem,* V, 1955, págs. 131-135; «Salvador Rueda y el Modernismo», *Boletín de la Biblioteca de Menéndez Pelayo,* XXXIV, Santander, 1958, págs. 41-61.

21 Véase José María Martínez Cachero: «El anti-Modernismo del poeta Emilio Ferrari», *Archivum,* IV, Oviedo, 1954, págs. 368-384 y «Noticia de la primera antología del Modernismo hispánico», *Idem,* XXVI, 1976, págs. 33-42.

22 En su libro *Modernismo frente a Noventa y ocho,* Madrid, Espasa-Calpe, 1951, págs. 120-122.

que publicó un breve escrito-manifiesto (¿fue Azorín su redactor?)[23], explicando su discrepancia —«sin discutir ahora la personalidad literaria de don José Echegaray, hacemos constar que nuestros ideales artísticos son otros y nuestras admiraciones muy distintas»—; fue ésta la única voz discordante en el coro unánime y, por lo mismo, silenciada en buena parte de la prensa que, por el contrario, llenaba sus páginas con noticias de los preparativos y de las adhesiones recibidas, o de los actos celebrados el domingo 19 de marzo[24]. Noventayochistas y modernistas militantes junto a escritores independientes (o de difícil adscripción a un determinado grupo), todos ellos jóvenes en edad y en estética, suscribían esa protesta, cuyo sentido último (según declaración de los firmantes[25]) era prestar apoyo al teatro de Jacinto Benavente.

Pero conviene no reducir las efemérides literarias de 1905 al por lo demás normal enfrentamiento de generaciones. Lo cierto es que la generación que tuvo espacio

---

[23] Azorín se ocupó con alguna intensidad de tal homenaje y prueba de ello son sus artículos *La obra del diablo* (sobre la concesión del premio), *Examen del programa* (el de los actos que se anuncian), *La cuestión del día* (opiniones acerca del homenaje proyectado) y *La protesta* (la actitud de los jóvenes escritores), artículos recogidos en las págs. 1087-1111, tomo VII, O.C., Madrid, Aguilar, 1948.

[24] En *El Imparcial* (6-III-1905) se ofrece una nota de la comisión organizadora del homenaje dirigida a la prensa española, exhortándola a la colaboración e insistiendo (para reclamarla) en el patriotismo —como deber— y en el pesimismso ambiente —como algo contra lo que se ha de reaccionar. El 7-III, bajo el título *Homenaje a Echegaray,* noticia de adhesiones, visitas y reunión de la comisión organizadora. El 19-III, en la crónica que firma «Monte-Cristo» se informa de una solemne función en el Teatro Real con representación de *El gran galeoto* y se anuncia la manifestación popular para las tres de la tarde de ese día con salida de la plaza de Oriente; el 20-III, noticia de la misma.

[25] En el número 10 de *La Estafeta literaria* (Madrid, 10-VIII-1944, págs. centrales), Pedro García Suárez preguntaba a Melchor Almagro San Martín, firmante del escrito-manifiesto, por su memoria del mismo y resulta clara su indicación al respecto: «La verdad es que nosotros, la juventud que escribía, teníamos nuestro propio dramaturgo: Benavente. Aquel manifiesto, más que protesta contra Echegaray, fue la consagración de un nombre: el de Jacinto.»

literario propio más o menos coincidente con el tiempo histórico de la Restauración canovista (digamos desde la década de los 70 hasta 1898), había cumplido su misión, brillantemente en ciertos casos y géneros, y a la altura cronológica en que ahora nos encontramos algunos de sus miembros habían desaparecido físicamente (en 1905 fallecerían Valera y Federico Balart), otros permanecían silenciosos y decaídos en su capacidad creadora, y sólo unos muy contados —Galdós a la cabeza, metido en la desigual aventura de su teatro— se mantenían, además de vivos, activos. No para todos los que eran por imperio de la edad gente vieja tuvo la gente nueva olvido o menosprecio pues (para continuar ilustrando con Galdós) si resultaba cierta la existencia de un ambiente poco propicio a don Benito (que sería «el garbancero» para Valle Inclán), ambiente percibido por Ramón Pérez de Ayala a su llegada a Madrid[26], no fue menor el interés que por su *Electra* mostraron en 1901 los jóvenes Maeztu y Martínez Ruiz como, asimismo, el hecho de que para lanzar en 1905 una revista literaria informativa y crítica, no enfeudada a capillas o banderías, se pensara en Galdós como en el más eficaz aglutinador de personas y tendencias, y por eso figura al frente de su comité de redacción y firma en el número primero de *La República de las Letras* (que tal fue su nombre) el artículo de presentación[27].

En el año literario español de 1905 fue acontecimiento notorio el tricentenario de la publicación de la primera parte del *Quijote* que (como en el caso del homenaje a Echegaray) motivó fiestas cívicas y académicas e, igual-

---

[26] «Cuando llegué a Madrid había entre las gentes noventayochistas un ambiente antigaldosiano», declaraba a César González Ruano («Conversación con Pérez de Ayala», *Arriba,* Madrid, 8-V-1955).

[27] Azorín recuerda y celebra en su libro *Madrid* (1941; capítulo XLVIII) el acercamiento a los jóvenes escritores de algunos maestros consagrados, dos sobre todo: la Pardo Bazán y Valera, que son, precisamente, colaboradores en la revista modernista *Helios* y ejemplo de «aquellos escritores que ya ensalza la fama, con tal que, a nuestro inexorable juicio, valgan la pena».

mente, buen número de publicaciones de asunto quijotesco-cervantino, desiguales en extensión, novedad y mérito; la iniciativa de la conmemoración había sido del periodista Mariano de Cavia quien, además, siguió atentamente la marcha de tales publicaciones[28], entre las que cuenta el libro azoriniano que nos ocupa[29].

Hubo en esa conmemoración una voz discordante, ahora sólo noventayochista e individual: la de Ramiro de Maeztu, consecuencia de que por «aquellos años yo escribía encendido por un espíritu que me llevaba a buscar en el pasado [español] la causa de los males presentes»; el *Quijote* podía ser perfectamente culpable y culpado ya que resultaba para Maeztu un libro «decadente» y hasta pernicioso en cuanto que:

> el amor sin fuerza [y es el caso del protagonista] no puede mover nada y para medir bien la propia fuerza nos hará falta ver las cosas como son. [...] Tomar los molinos por gigantes no es meramente una alucinación, sino un pecado[30].

Las afirmaciones (negaciones, mejor) de Maeztu produjeron «un griterío hostil» pero los preparativos de los festejos prosiguieron sin alteración.

Si el caso de Maeztu resultó, por más llamativo, escandaloso, cabe decir que la actitud de algunos compañeros de generación tampoco podía tenerse por muy or-

---

[28] Muestra de semejante atención puede ser el artículo «Lecturas del Centenario», *El Imparcial*, 23-III-1905, donde Cavia comenta brevemente tres novedades quijotesco-cervantinas en cumplimiento de un propósito así expresado: «Entre la balumba de libros y opúsculos nacidos al calor del Centenario del *Quijote* —sin tomar en cuenta los trabajos publicados en revistas y en la prensa diaria— me propongo ir señalando aquellos que puedan y merezcan interesar al curioso lector.»

[29] Destaco del abundantísimo número de actos y publicaciones con ocasión del tricentenario una velada en el Ateneo de Madrid (mes de abril) porque en ella intervino Azorín, dando lectura a su trabajo *Don Quijote en casa del Caballero del Verde Gabán* (recogido con el título *El Caballero del Verde Gabán* en el libro de 1912 *Lecturas españolas).*

[30] Son palabras de Maeztu en su ensayo *Don Quijote o el amor* (pág. 47 y pág. 108, respectivamente, de la edición preparada por Alberto Sánchez, Salamanca, Anaya, 1964).

todoxa respecto de lo que pudiera pasar como cervantismo ortodoxo, oficial o académico; no tardando mucho (y sirva este ejemplo de ilustración pertinente) las estampas manchegas de Azorín en *La ruta de don Quijote* serían valoradas por el cervantista y académico Rodríguez Marín como «tentativas baladíes en que no hay pizca de cervantismo». Tampoco la atención de Unamuno hacia el inmortal libro, expresada elocuentemente en el mismo 1905 con su *Vida de don Quijote y Sancho,* más afecto su autor al personaje (o a la pareja de personajes protagonistas) que a su inventor (con otras palabras: más quijotismo que cervantismo), discurre por los cauces consabidos de lo oficial y erudito[31]. Diríase que cualquier ocasión sirve a los escritores llamados noventayochistas para mostrar discrepancia y ruptura.

Por lo que se refiere a Azorín hemos de admitir que, aunque buen conocedor del *Quijote* y también de algunas vicisitudes eruditas en torno al libro y al autor, su intención es bien distinta a la de los profesionales del cervantismo y —en cuanto a *La ruta...*— su deseo no fue otro que salir de la especulación abstracta y establecer contacto directo con la realidad física y humana de una comarca inmortalizada literariamente; lo apuntan estas palabras suyas:

> En general los comentaristas del *Quijote* adolecen de trabajar en lo abstracto; pecan de aficionados en demasía a los libros, papeles, documentos... y a lo que otros eruditos han dicho antes que ellos. El *Quijote* es un libro de realidad; la Mancha, principalmente, es el campo de acción de esta novela. En la Mancha hay ahora paisajes, pueblos, aldeas, calles, tipos de labriegos y de hidalgos casi lo mismo —por no decir lo mismo— que en tiempos de Cervantes[32].

---

[31] El propio Unamuno definía su libro diciendo: «Es una libre y personal exégesis del *Quijote,* en el que el autor no pretende descubrir el sentido que Cervantes le diera, sino el que le da él, ni es tampoco un erudito estudio histórico [...].»

[32] Del artículo «Sobre el *Quijote*», donde comenta el tomo sexto de la edición preparada por Francisco Rodríguez Marín y publicada

3. *La literatura noventayochista de viajes por España*

En el cuarto y último de sus artículos acerca de *La generación de 1898* (serie que data de 1913)[33] señalaba Azorín entre otros rasgos característicos, los dos siguientes:

> La generación de 1898 ama los viejos pueblos y el paisaje; [...] se esfuerza, en fin, en acercarse a la realidad y en desarticular el idioma, en agudizarlo, en aportar a él viejas palabras, plásticas palabras, con objeto de aprisionar menuda y fuertemente esa realidad,

para cuya eficaz realización no había otro medio que echarse a recorrer los caminos de España. En relación con semejantes pretensiones estaba el propósito de dar cumplida réplica a tantos viajeros foráneos que a lo largo del siglo XIX nos habían visitado y, después, habían escrito deformada e incompletamente sobre lo que habían visto; viajeros románticos y de años posteriores, de diferentes nacionalidades y, por desgracia, no tan atendible su testimonio como lo fuera el famoso *Viaje a España* de Teófilo Gautier, libro que (según Azorín) «ayudó a la juventud de 1898 a ver el paisaje de España» dado que «en lo que toca a la interpretación poética del paisaje, difícilmente será superado nunca, porque la geografía física de la Península no está contada allí, sino *vista,* con visión absorta, desinteresada y esplendente». Noble afán patriótico, pues, el que anima a nuestros viajeros noventayochistas, de los cuales acaso fue Azorín uno de los que recorrió más tierra española y, desde luego, quien más ampliamente teorizó acerca de dicha modalidad literaria[34].

---

en la serie Clásicos Castellanos (recogido en *Los valores literarios,* 1914).

[33] Fueron publicados en *ABC* y recogidos ese mismo año en el libro *Clásicos y modernos.*

[34] Ejemplos de esa labor de teorización tenemos en los *Comenta-*

Siente y muestra Azorín gran suspicacia ante el testimonio que de España han ofrecido (o puedan ofrecer) los extranjeros (escritores o aficionados) que la visitan ya que en ellos suele imponerse el prejuicio a la limpia observación de la realidad:

> Si se ven forzados, por escrúpulo artístico, por su sinceridad, a variar algo, a reflejar un átomo de verdad, entonces abandonarán a España profundamente contrariados y entristecidos; con lo cual su viaje, más que de distracción y de esparcimiento, les habrá proporcionado amargura y acidia[35].

A ello debe añadirse la ignorancia, cuando no la malevolencia, que lleva a no hacer mención *de* o a quitar importancia *a,* por ejemplo, obras artísticas españolas de rara excepcionalidad que diríase molesta a tales contempladores —Manuel Gómez Moreno se lamentaba en el prólogo a su libro *Iglesias mozárabes* (1919) de que no se tomara en cuenta por los historiadores extranjeros la existencia de un arte cristiano español anterior al románico francés si bien (añadía) «aunque no dejen de doler las injusticias, estamos acostumbrados a que lo español se vilipendie»—; parece, además, encantarles la visión de una España empobrecida y ruinosa: «por su gusto dejaría corromperse todavía más nuestras ciudades históricas para que se las sirviésemos bien pasadas, como las perdices»[36]. Consecuentes los noventayochistas con el deber que diríase les impone su condición de españoles —¿quién como ellos para cumplir con el postulado azoriniano que reza: «Lo más hondo, lo más castizo, lo que es etéreo e impalpable, no puede ser comprendido ni ha-

---

rios que puso Azorín al «Peregrino entretenido» [de Ciro Bayo] *y que muy bien pueden servir de prólogo al «Lazarillo español»* (del mismo autor, Madrid, 1911), o en algunos de los artículos reunidos por García Mercadal en el volumen *La amada España* (Barcelona, Destino, 1967), publicados antes en la prensa entre 1927 y 1935.

[35] De los *Comentarios que puso Azorín...*

[36] Luis Bello, *Viaje por las escuelas de España,* tomo II, Madrid, 1927, pág. 187.

blado sino por los naturales del país»?[37]—, el viaje por España va a ser regla casi general que comprende a sus integrantes mayores y menores (Luis Bello o José María Salaverría, entre estos últimos) y, también, a algunos estudiosos que pueden ser considerados afines al talante noventayochista como es el caso de Menéndez Pidal —viaje filológico, el suyo[38]— y de Gómez Moreno —viajero por nuestro arte y arqueología.

Empiezan a viajar a principios de siglo y la mayor concentración de viajes coincide con sus dos primeras décadas, lo cual no impide que posteriormente pueda ser datado algún otro ejemplo. Azorín viaja por la Mancha y Andalucía en 1905; Unamuno agrupa en *Por tierras de Portugal y de España,* volumen aparecido en 1911, artículos periodísticos viajeros de años antes y lo mismo puede decirse de *Andanzas y visiones españolas* (1922); en cuanto a Ciro Bayo (último ejemplo que aduciré), su recorrido de 1901 y 1902 por Castilla la Nueva y Extremadura pasa en 1910 al libro *El peregrino entretenido* y su *Lazarillo español,* volumen de 1911 que la Academia de la Lengua distinguió con el premio Fastenrath, se refiere a las andanzas, entre 1907 y 1911, por diversas comarcas españolas. Una excepción a este respecto cronológico la constituye Luis Bello que sólo en 1922 iniciaría su viaje pedagógico por las escuelas de España[39].

---

[37] De los *Comentarios que puso Azorín...*

[38] Dámaso Alonso ha señalado la consistencia de semejante aproximación de Menéndez Pidal al talante de los del 98 con estas palabras: «La misión primera de M. P. coincide, en este sentido [romper el aislamiento de España en materia de filología], con la de la generación del 98. Y también coincide con ella en una curiosa consecuencia: esas "europeizaciones" van a traernos como resultado una más profunda comprensión de los modos y sentires de España» (págs. 116 de *Del Siglo de Oro a este siglo de siglas...,* Madrid, Gredos, 1962). Por lo que atañe al caso de Gómez Moreno, consúltese la comunicación de Geneviève Barbe-Coquelin de Lisle, «Manuel Gómez Moreno y el 98», recogida en las actas del quinto Congreso Internacional de Hispanistas, Burdeos, 1977, I, págs. 171-178.

[39] Son cuatro los tomos en que su autor recogió las crónicas viajeras que fueron apareciendo en el diario madrileño *El Sol;* póstumamente vio la luz (en edición a cargo de Gonzalo Anaya, Madrid, Akal,

Inicialmente esos viajes se convierten en artículos periodísticos sea por voluntad expresa de sus autores, habituales colaboradores en publicaciones periódicas, sea por encargo de éstas —como es el caso de *La ruta...* Andando el tiempo, no mucho tiempo a veces —ha de volver a recordarse el caso del libro de Azorín— tales artículos se recogen en volumen (conviene añadir que en ocasiones son otras personas, no sus autores, quienes llevan a cabo dicho agrupamiento: hay, por ejemplo, unos *Paisajes del alma,* póstumos, de Unamuno[40] y varios libros de Azorín preparados por José García Mercadal[41]. Como se trata de trabajos bastante unitarios —la unidad viene impuesta por el género «viajes», o el lugar por donde se viaja: una comarca con límites bien definidos, o por alguna otra característica destacada como las escuelas (Bello) o los balnearios (Azorín) en cuanto a paisajes preferentemente atendidos—, no puede extrañar su fácil integración en volumen exento.

Tal proximidad cronológica entre la fecha del viaje y la de publicación de las correspondientes crónicas —la documentaremos no tardando en el caso de *La ruta...* que, por otra parte, no es el único aducible— contradice una de las cuatro condiciones señaladas por Azorín en 1927[42], de casi obligado cumplimiento por el escritor metido a viajero, el cual debe dejar que pase el tiempo y así podrá escribir con la lejanía temporal y espacial necesarias para que su testimonio resulte más limpio o (con

---

1974) un tomo quinto, *Viaje por las escuelas de Galicia.* Véase Josefina Rojo Ovies, «Noticia de Luis Bello (1872-1935) y de su libro *Viaje por las escuelas de España», Archivum,* XXIX-XXX, Oviedo, 1979-1980, págs. 115-143.

[40] *Paisajes del alma* salió por primera vez en 1944 (edición a cargo de Manuel García Blanco) y fue incluido en el tomo I de las Obras Completas de Unamuno (1951) con «su contenido casi duplicado» pues de 34 artículos se pasó a ofrecer ahora 57.

[41] Queda ya constancia de los titulados *Veraneo sentimental* (1944) y *La amada España* (1967), a lo cual podríamos añadir una parte de los artículos reunidos en *Tiempos y cosas* (1944).

[42] Artículo «Los viajes» (11-IX-1927), recogido en *La amada España,* págs. 56-63.

otras palabras) despojado de peligrosa inmediatez. Las otras condiciones señaladas por el autor de *La ruta...* se refieren a que el viaje debe hacerse sin propósito de aprovechamiento ulterior pues esto podría ofuscar la visión del viajero; a que cuando el cansancio físico llega, debe el viajero dar por concluida su jornada cualquiera sea el tiempo que le falte para concluirla materialmente, el lugar en que se encuentre, las cosas aún no visitadas, etc.; por último, la huida de lo tópico y convencional (aquello que viene en las guías y que cualquier turista conocerá) ya que, sin desdeñarlo, nuestro viajero-escritor ha de fijar su atención en todo aquello que, personalmente, juzgue interesante, vaya o no de acuerdo con una estimación más generalizada.

No siempre y más en unos autores que en otros, sus artículos y libros constituyen, además de testimonios informativos de primera mano, denuncia de una situación presente harto desdichada a la que se llegó por la incuria y la torpeza y en donde pesaron, igualmente, factores culturales —analfabetismo, por ejemplo—, políticos —caso del caciquismo en algunas regiones— y religiosos —la superstición ocupando el lugar de la creencia viva. No es necesario irritar el tono expresivo aunque haya esporádicas muestras de ello e, incluso, algún autor —Manuel Ciges Aparicio— que lo extreme en todo cuanto escribe, supuesto que consideremos sus reportajes a pie de noticia como libros de viajes o equivalentes a tales[43]; la realidad observada y transmitida habla por sí misma con suficiente fuerza y queda manifiesta así la actitud más propia del noventayochismo para la que ofrecen materia sobrada aspectos como la despoblación del campo y el latifundismo, el abandono y la ruina de tantas poblaciones castellanas, la insalubridad de las viviendas y la ex-

---

[43] Se trata de la serie *La lucha de nuestros días,* integrada por «Los vencedores» (1908) —cuenca minera de Mieres (Asturias)— y «Los vencidos» (1910) —explotaciones mineras de Riotinto y Almadén—, y de «Entre la paz y la guerra» (1912) —viaje por el norte de Marruecos, tras la derrota de las tropas españolas en el Barranco del Lobo.

tensión de algunas enfermedades (paludismo, tuberculosis), el alcoholismo, la afición a los toros de manera desmedida, la mendicidad, etc. etc. ¿Hace falta apostillar con palabras crispadas semejante estado de cosas? A Luis Bello, vgr., que tanta desgracia y culpabilidad ve acumuladas a propósito de la enseñanza primaria, jamás la pluma le traiciona el comedimiento y la elegancia de su talante personal y literario y por eso a veces debe recordarse seriamente «el peligro [que supone] ir por España como un arqueólogo en plena maravilla». Alguien osaría tacharlos de escapistas ante casos como el de Unamuno, tan complacido ahora en la descripción paisajística que ha reservado para esta clase de libros[44], a quien ciertas realidades contempladas —una cumbre, un monumento— le sirven para dar rienda suelta a sus más personales sentimientos y pensamientos; o el de Azorín en *La ruta...,* tan pendiente del libro de Cervantes y, también, de la creación, entre irónica y melancólica, de la «provincia».

Cuando se realizó la mayor parte de estos viajes, los medios de locomoción utilizables eran más bien rudimentarios y a bastantes lugares —dígalo el investigador Gómez Moreno— sólo era posible llegar en carro, a caballo o andando por caminos y atajos más de cabras que de personas —en *La ruta...* hay ejemplo explícito de esto. El ferrocarril, tan celebrado por Azorín, no llegaba todavía a muchos sitios y la poca comodidad de algunos itinerarios y líneas era proverbial; el viaje en el vagón de tercera ofrecía oportunidad de ver y oír cosas pintorescas y sumamente ilustradoras[45]. Comenzaba el uso del automóvil y Unamuno descubrirá cuánto supone de co-

---

[44] Conocido es el propósito de Unamuno que, después de su novela *Paz en la guerra* (1897), rehuirá en las posteriores «las descripciones de paisajes y hasta el situarlas en época y lugar determinados», pero con sus libros de viajes (como *Andanzas y visiones españolas,* a cuyo prólogo pertenecen las palabras citadas) desea responder a «la afición estética» de quienes gustan del paisaje literario.

[45] Breve muestra de un viaje en tercera clase es el capítulo III de la segunda parte de *La voluntad.*

modidad y rapidez, aparte la posibilidad de llegar a parajes y monumentos no demasiado asequibles:

> Desde que empezó esto de los automóviles hay deliciosos rincones del país, hay escondidas joyas de arquitectura, que empiezan a ser conocidos. [...] Yo he hecho una excursión de 30 kilómetros desde Zamora, por caminos muertos y en coche [...] nada más que para ver el antiquísimo templo visigótico, uno de los más antiguos de España, de San Pedro de la Nave [...][46].

Es el mismo Unamuno quien previene al viajero contra la demasiada comodidad y casi llega a acusarle de mal viajero si en ella se complace:

> Nada denuncia tanto la ordinariez de espíritu, la ramplonería y plebeyez de alma, como el apego a la comodidad. El señor que no sabe viajar sin almohada y baño es un mentecato[47].

No había para tanto puesto que en la España de entonces si resultaba incómodo el viaje, no lo era menos la llegada y el aposentamiento en la venta, fonda o mesón que la fortuna deparase al viajero, donde diríase que toda incomodidad tuviera asiento: mala comida, descuidado lecho, desagradable trato[48].

---

[46] *Por tierras de Portugal y de España,* artículo «El sentimiento de la naturaleza» (fechado en Salamanca, noviembre de 1901).

[47] *Andanzas y visiones españolas,* artículo «De vuelta de la cumbre» (fechado en Salamanca, agosto de 1911).

[48] En su artículo «Ventas, posadas y fondas» (del libro *Castilla,* 1912) Azorín, a vuelta de evocaciones literarias de tales albergues (obra del duque de Rivas, Galdós y Leopoldo Alas), concluye con una cita del costumbrista Antonio María Segovia que en 1851 ofrecía el siguiente repertorio de calamidades en los hospedajes españoles, algunas de ellas todavía no desaparecidas en la época de Azorín: «Entre nosotros se tiene por delicadeza excesiva y ridícula el deseo de que no entre aire por las rendijas de las puertas; de que no estén los muebles empolvados; de que las sillas y sofás sean *para sentarse* y no como adorno de la sala; de que en todas las estaciones se mantenga la habitación a una

Esos «viejos pueblos» españoles que los noventayochistas declaran amar y entre cuyos pobladores encuentran las «viejas y plásticas palabras» con las cuales enriquecer y agudizar el idioma resultan ser, muy preferentemente, lugares, gentes y voces que se corresponden geográficamente con Castilla —la Vieja y la Nueva—, para los noventayochistas (que llegan a mitificarla) raíz y esencia de la patria. Han viajado y conocido las tierras castellanas y, quien más quien menos, sobre ellas han escrito mayor número de páginas que sobre ninguna otra región. Andalucía y Extremadura, las Vascongadas o Levante vienen, respecto a frecuentación viajera y testimonio escrito, después de Castilla pero a bastante distancia cuantitativa; sigue (en cantidad decreciente) una tercera zona que comprende Galicia, Asturias, Cataluña y Baleares; Canarias (que sólo visitaron Unamuno y Dicenta[49]) cierra esta peculiar clasificación.

Compuso Azorín y publicó en 1917 un curioso libro (algo así como una antología de textos seleccionados, ordenados y comentados por él mismo) con el título de *El paisaje de España visto por los españoles,* donde comparecen, representando a sus respectivas regiones y comarcas, autores románticos (Gil y Carrasco para el Bierzo, por ejemplo) junto a otros más recientes (Leopoldo Alas para Asturias o Baroja para Vasconia y Valle Inclán para Galicia). Se me ocurre pensar que la selección, muestra cabal del múltiple interés (práctico, teórico y erudito) que Azorín ha tenido por el tema viaje-paisaje, resultaría más unitaria, coherente y significativa si su autor hubiera decidido componerla utilizando solamente lo escrito sobre el particular por aquellos escritores a quienes llamó Laín Entralgo los inventores de un paisaje.

---

temperatura conveniente; de que las chinches no inunden nuestra cama; de que la cocinera no esté cantando seguidillas a voz en grito, mientras el huésped duerme o trabaja; de que el criado no entre a servir suciamente vestido, con el cigarro en la boca ni apestando a sudor.»

[49] Joaquín Dicenta (1863-1917) es el único noventayochista que no mostró gran interés por Castilla y, también, el autor de un libro singular, *Mares de España* (Madrid, 1913), que cuenta sus viajes en el vapor «Felisa» por las costas de España entre 1912 y 1913.

4. *El viajero-cronista Azorín*

Según el recuento ofrecido por Cruz Rueda[50] es en el bienio 1904-1905 donde se datan las primeras señales públicas del interés azoriniano por Cervantes y su obra. Son, primero, dos artículos publicados en el diario *España,* uno de los cuales —el titulado «Un loco»[51]— anuncia en cierto modo los capítulos argamasillescos de *La ruta...;* de 1905, contribución de ambos a la celebración tricentenaria, son los trabajos *Génesis del Quijote* (respondiendo a un encargo editorial[52]) y *El caballero del Verde Gabán,* su colaboración en la velada que celebró el Ateneo madrileño en el mes de abril. En este último año recibió de *El Imparcial* (de su director Ortega Munilla) el encargo de viajar por la Mancha de don Quijote:

> Va usted primero, naturalmente, a Argamasilla de Alba. De Argamasilla creo yo que se debe usted alargar a las lagunas de Ruidera. Y como la cueva de Montesinos está cerca, baja usted a la cueva. ¿No se atreverá usted? No estará muy profunda. Y, ¿dónde cree usted que ha de ir después? Y, ¿cómo va usted a hacer el viaje? No olvide los molinos de viento. Ni el Toboso. ¿Ha estado usted en el Toboso alguna vez? ¡Ah, antes que se me olvide!
>
> Y diciendo esto, don José Ortega Munilla abre un cajón, saca de él un revólver chiquito y lo pone en mis manos. Le miro atónito. No sé lo que decirle.
>
> —No le extrañe a usted —me dice el maestro—. No sabemos lo que puede pasar. Va usted a viajar sólo por campos y montañas. En todo viaje hay una legua de

---

[50] Ángel Cruz Rueda, «El cervantismo de un cervantista», *Cuadernos de Literatura,* V, Madrid, 1949, págs. 85-113.

[51] Recogido en el libro de 1920 *Fantasías y devaneos (Política, literatura, naturaleza).*

[52] Para el libro *Iconografía de las ediciones del «Quijote», de Miguel de Cervantes Saavedra,* Barcelona, Henrich y Cía., 1905.

mal camino. Y ahí tiene usted ese chisme, por lo que pueda tronar[53].

La primera de las crónicas azorinianas (que su autor escribe «con lápiz» y remite desde los lugares visitados) se inserta en la página uno (columnas tres y cuatro) del número 13.626 de *El Imparcial,* correspondiente al sábado 4 de marzo; se titula (como posteriormente el capítulo con que se abre el libro), *La partida* y su texto va precedido de la siguiente breve presentación:

> El notable escritor Azorín colabora desde hoy en las columnas de *El Imparcial.* Hoy sale de Madrid para describir el itinerario de Don Quijote en una serie de artículos, que seguramente aumentarán la nombradía del original humorista.

Son 15 inserciones (otros tantos capítulos en el libro) y la última (titulada *La exaltación española),* cuya condición de cierre o remate de la serie no consta explícitamente, aparece con fecha 25 de marzo (número 13.647). Muy pocos días después, una vez regresado a Madrid, Azorín salió, enviado también por *El Imparcial* que venía preocupándose destacadamente por la situación de miseria allí existente, para Andalucía y a partir del 3 de abril comienza la publicación de sus artículos, cinco en total, sobre *La Andalucía trágica*[54].

El viaje por la Mancha resultó de lo más tranquilo (aunque el viajero sufriese algunas de las incomodidades propias del caso) y en ningún momento (que sepamos) fue necesario utilizar el revólver; su recorrido debió de coincidir muy aproximadamente con el que va saliendo crónica a crónica y la duración del mismo pudo ser de unos quince días:

---

[53] Pertenece este pasaje a la rememoración azoriniana treinta y seis años después del viaje: capítulo IV de su libro *Madrid* (1941).

[54] Azorín ofrece algunos pormenores sobre viaje y serie, a lo que parece truncada por decisión de *El Imparcial,* en el capítulo XVIII de *Madrid.*

> Debió de pasar de 3 a 7 días en Argamasilla. Un día en Puerto Lápice, con veinte horas de carro en la ida y la vuelta. Varios días en Criptana, quizá tres. Probablemente otros dos o tres en El Toboso y dos en Alcázar de San Juan. Posiblemente, quince días en total[55].

No mucho después de la inserción en *El Imparcial,* el editor Leonardo Williams sacó la primera edición en volumen.

Treinta años después de haber hecho este viaje manchego Azorín recordaría[56], junto a otros pormenores, su estado de ánimo y la parquedad del mantenimiento durante aquellas jornadas:

> Teníamos paz y alegría. Nuestro mantenimiento era sobrio. Salíamos por la mañana y sólo llevábamos para la comida de mediodía pan, buen pan manchego, y queso, buen queso manchego, queso que no tiene rival en el mundo. Y no comíamos otra cosa. Y no sentíamos apetencia de nada más. Con el paisaje de la Mancha nos sobraba [...].

5. La ruta de don Quijote, *ruta literaria*

Al final del capítulo primero de su libro declara Azorín: «Yo voy —con mi maleta de cartón y mi capa— a recorrer brevemente los lugares que él [don Quijote] recorriera». Precisaríamos frente a estas palabras que los dos objetos invocados (maleta y capa) se convierten en representativos de las condiciones y circunstancias materiales del viaje; que con el adverbio *brevemente* se alude tanto a su duración como a una hipotética menor intensidad del contenido; y que, por último, los lugares vi-

---

[55] Tal es la hipótesis formulada por Josefina Rojo Ovies en su tesis doctoral (inédita), *Viajes por España de la generación del 98* (leída en la Universidad de Oviedo, 1975).

[56] Artículo «Las rutas literarias» (7-IV-1935), recogido en *La amada España,* pág. 284.

sitados y contemplados por el escritor del siglo XX no son ni mucho menos todos los que Cervantes hizo recorrer a su héroe.

El lector de *La ruta...* puede establecer sin mayores dificultades el itinerario seguido por Azorín, cuando menos en sus hitos más notorios. De la pensión madrileña que regenta doña Isabel y en la que reside el escritor, sale éste para la estación del Mediodía, donde toma un tren que le lleva a la de Cinco Casas, pasando (sin detenerse ahora) por Alcázar de San Juan. Desde Cinco Casas va, en diligencia, «tras largo caminar», a Argamasilla de Alba, donde el viajero se detendrá algún tiempo como hacen suponer muy verosímilmente los cinco capítulos —del segundo al sexto— que dedica a esta «villa ilustre» y las abundantes y diversas noticias que de la misma ofrece, amplitud que se explica además porque para Azorín diríase constituye verdad cierta que era Argamasilla (y no otro) el lugar de la Mancha donde vivía don Quijote y de cuyo nombre no quería acordarse Cervantes; la fonda de la Xantipa (o Jantipa) será en Argamasilla albergue para el visitante, tan deseoso de conocer historias y tradiciones, gentes y ambientes que ayudan a completar su imagen de los pueblos de España, adelantada ya en fragmentos y capítulos de *La voluntad* y de *Antonio Azorín.* Téngase en cuenta, asimismo, que Azorín parte de Argamasilla para visitar otros lugares manchegos próximos —Puerto Lápiche o Lápice, por ejemplo (capítulo séptimo)—, y a Argamasilla regresa. El camino a Puerto Lápice (supuesto emplazamiento de la primera venta que sale en el *Quijote)* lo hizo en carro y en el trayecto pasó por Villarta (de San Juan), «un pueblo blanco» atravesado hoy por la carretera nacional de Madrid a Andalucía; son las dos de la tarde y faltan tres horas para que concluya una jornada viajera comenzada a las siete de la mañana; Manzanares y los lejanos montes de Villarrubia son indicaciones toponímicas presentes en este recorrido. En Puerto Lápice se hospeda el viajero en la posada de Higinio Mascaraque para al día siguiente (por la mañana) visitar lo que queda de dicha venta y volver (luego de otras diez horas de viaje) a Argamasilla, su cuartel general.

Con el capítulo noveno, camino ya de las lagunas de Ruidera, el viajero abandona Argamasilla y da fin así al conjunto de capítulos que tenían a este lugar como núcleo de la acción; otras localidades manchegas, también con recuerdos quijotescos, vendrán a sustituirlo, menos extensamente.

El carro (una vez más); el rocín, después; andando, finalmente, son los medios de transporte utilizados por el viajero desde Argamasilla hasta Ruidera —capítulo noveno: ocho horas de recorrido—, donde hace noche y descansa para a la mañana, «aún velado el cielo por los celajes de la aurora», seguir —y aquí del rocín y de su propio caminar por sendas de cabras—, acompañado por un guía, unas dos leguas de distancia, a la que se dice fue la cueva de Montesinos.

Los capítulos once a catorce inclusive se refieren a dos localidades de la Mancha que, por tiempo y extensión más bien cortos —presumiblemente dos o tres días en cada una y un par de capítulos en cada caso—, se convierten en núcleo de la acción: se trata de Criptana (con sus molinos de viento) —capítulos once y doce— y de El Toboso (con la presunta casa de Dulcinea) —capítulos trece y catorce. A Criptana ha llegado el viajero en tren y los amigos que hace en esta villa (los que llamaría «Sanchos de Criptana») le llevarán después, en galera, a la ermita del Cristo de Villajos; de Criptana a El Toboso había unas tres horas de mal camino, «dando tumbos», en carro, y era ya el crepúsculo cuando Azorín llegó al pueblo de Dulcinea. Ambas estancias sirven a nuestro escritor para corroborar (respecto a ambientes, gentes y costumbres) cosas y cosas ya advertidas en Argamasilla como, por ejemplo, la existencia de un grupo de hidalgos letrados, muy celosos en la defensa de su pueblo natal y de los recuerdos cervantinos y quijotescos del mismo: son los Sanchos de Criptana y los miguelistas de El Toboso, como antes habían sido los académicos de Argamasilla.

El viaje de Azorín se remata en Alcázar de San Juan, localidad a la que llama «capital geográfica de la Mancha», lugar bien a propósito para «echar la llave» de sus correrías; desde aquí el tren le llevará a Madrid[57]. Concluye el viaje pero no el libro *La ruta de don Quijote* pues, a las crónicas enviadas a *El Imparcial,* añadiría posteriormente Azorín un epílogo[58].

La cordialidad de todas las gentes que encontró el viajero, altas y bajas social y culturalmente, pues unos son los doctos hidalgos de Argamasilla, Criptana y El Toboso y otros, los dueños y servidores de los hospedajes o los compañeros de viaje, atenúa los rigores y dificultades del mismo, por ejemplo: malas condiciones materiales para el trabajo del escritor, obligado (como en el capítulo once, Criptana) a leer «a la luz de la vela»; urgencia insoslayable —escribir recién llegado de la ruta y, también, sin tiempo para pensar mucho lo que se escribe («habéis trazado rápidamente unas cuartillas», capítulo segundo, Argamasilla)—; grandes y reiterados madrugones (a la seis de la mañana en Argamasilla, capítulo séptimo, y en Puerto Lápice, capítulo octavo). Se trata, en suma, de esas incomodidades que ponen a prueba el temple de quien las sufre y vence.

Es evidente que los lugares mencionados, pertenecientes todos ellos a la Mancha, de la provincia de Ciudad Real (con excepción de la cueva de Montesinos, ya

---

[57] Resumen cuanto acabo de señalar respecto a los hitos más notorios del itinerario manchego seguido por Azorín estas palabras suyas (artículo citado en la nota anterior, págs. 283-284 de *La amada España):* «En Alcázar de San Juan alquilamos un carrito; no había entonces automóviles; si los hubiera habido, no nos hubiesen servido; los caminos no los permiten. En un carrito que guiaba un antiguo repostero [llamado Miguel] que vivió y trabajó en Madrid, hicimos todo el viaje por pueblos, campos y aldeas de la Mancha. Salidos de Alcázar de San Juan, fuimos a Argamasilla; visitamos las lagunas de Ruidera; penetramos en la cueva de Montesinos; nos detuvimos en la posada de Puerto Lápice, donde el célebre manchego veló las armas; contemplamos los molinos de viento en Criptana; hicimos una larga estancia en El Toboso. Y en todas partes meditamos en nuestro señor don Quijote.»

[58] Pormenores sobre el particular pueden leerse en el apartado Nuestra Edición.

en la de Albacete), son nada más que una pequeña parte de los «que don Quijote recorriera», incumpliéndose con semejante reducción el anuncio formulado en el capítulo primero de *La ruta...;* el lector de este libro que también lo haya sido del escrito por Cervantes echará de menos la ruta aragonesa y la catalana de su protagonista. ¿Por qué un viaje tan corto en el recorrido y tan breve en el tiempo empleado? Semejante brevedad, ¿venía impuesta desde el mismo encargo del director de *El Imparcial,* al menos tal como lo recordaba Azorín en 1941 (es el texto que cito en el apartado 4 de esta Introducción)? Podemos preguntarnos por la razón o razones de esa brevedad: ¿urgía, por ejemplo, le urgía al periódico que Azorín, su enviado, se desplazara sin tardanza (como así ocurrió) a Andalucía para informar de la situación de sus campesinos, tan hostigados a la sazón por la sequía y la miseria, situación seguida día tras día por el diario madrileño que en sus editoriales (o artículos de fondo) aprovechaba para arremeter contra el gobierno conservador (que presidía Raimundo Fernández Villaverde)? Lo cierto es que, junto a esa incompletez (que llamaríamos general), hay también reducción en lo que se refiere a la Mancha recorrida por don Quijote[59] y, finalmente, muestra *La ruta...* algunas carencias o insuficiencias paisajísticas, explicables acaso porque semejantes realidades apenas tienen relación explicitada por Cervantes, aunque esto mismo pudiera decirse respecto a lugares como Argamasilla (tan atendido por Azorín) y de gentes como sus pobladores, o los de Criptana o los de El Toboso, cuya presencia cabe explicar por tratarse de los descendientes de aquellas gentes que Cervantes —y don Quijote— conoció y trató[60]. Ocurre así que las lagunas de Rui-

---

[59] José Terrero se ocupa de otros lugares manchegos del *Quijote,* claramente reconocibles o hipotéticamente identificables, en el artículo «Las rutas de las tres salidas de Don Quijote», *Anales Cervantinos, VIII,* Madrid, 1951-1960, págs. 1-49.

[60] A mostrar la verosimilitud de una tal herencia o descendencia parece dirigirse la inserción en las ediciones segunda y tercera de *La ruta...* de una serie de fotografías (propiedad del semanario *Blanco y*

dera tienen una referencia de tres a cuatro líneas solamente, y de dos a tres, la aldea de Ruidera, extensión análoga (en ambos casos) a la concedida (en el mismo capítulo noveno) al castillo de Peñarroya que «no encierra ningún recuerdo quijotesco». Pero el autor de *La ruta...* tenía su estrategia para la composición del libro y conviene no enmendarle la plana.

Me referiré ahora a otro tipo de olvido, deliberado sin duda: el de hechos que estaban sucediendo en la Mancha al tiempo que Azorín la recorría. Es el caso de una noticia relativa a la sequía que padece aquella comarca y que (según Jiménez, corresponsal de *El Imparcial* en Mora de Toledo[61]) ocasiona que:

> los campos están sedientos, los labradores entristecidos y los jornaleros sin trabajo, esperando constantemente la lluvia que permita efectuar las labores de campo.
>
> Los ganados se hallan sin comida y los ganaderos desesperan de poder sostenerlos.
>
> [...] Si no llueve pronto, esta rica comarca se verá en la más triste miseria, porque su rica mancha de olivos y sus dilatados viñedos se perderán;

el corchete ocupa en la cita el espacio de dos breves párrafos, introducidos y cerrados con interrogaciones, de cierto sabor regeneracionista:

> ¿Cuándo tendremos canales, pantanos y balsas para aprovechar las aguas llovedizas en beneficio de la agricultura?
>
> ¿No es lastimoso ver como tan necesario elemento se marcha al mar sin que nadie le aproveche?

Este viaje azoriniano, y consiguientemente el fruto literario del mismo, estuvo condicionado en su libertad de acción por la presencia constante, no de la tierra visita-

---

Negro) en las cuales «verán los lectores, en imágenes curiosísimas, a don Quijote, a Sancho, a Dulcinea, al ama y a la sobrina del gran hidalgo, a la mujer y a la hija del sin par escudero».

[61] Núm. 13.639. 16-III-1905, pág. 1ª.

da y de sus gentes sino de un héroe literario, protagonista de un libro ajeno y de otro tiempo que dio renombre a su pequeña patria, la Mancha. Diríase a veces que Azorín ha emprendido esa tarea nada más que para reforzar en sí mismo y en sus posibles lectores el interés por el ingenioso hidalgo pues «sólo recorriendo estas llanuras [...] es como se acaba de amar [...] esta figura dolorosa» (capítulo séptimo). Ocurre también que el libro de Cervantes sirve, a más de referente inexcusable, de materia propicia para llenar el vacío o animar la monotonía que parecen producirse en una marcha donde el viajero, a su paso, no encuentra personas con las que conversar ni objetos que describir. Dentro de ese mismo capítulo séptimo encontramos, primero, una vaga recordación del héroe cervantino, la cual tanto podría incrustarse en este momento, de clara primacía descriptiva, como en cualquier otro momento —el texto azoriniano es el siguiente:

> ¿En qué pensaba don Alonso Quijano, *el Bueno,* cuando iba por estos campos a horcajadas en Rocinante, dejadas las riendas de la mano, caída la noble, la pensativa, la ensoñadora cabeza sobre el pecho? ¿Qué planes, qué ideas imaginaba? ¿Qué inmortales y generosas empresas iba fraguando?

El segundo caso que nos importa está en el párrafo que sigue donde continúa la primacía descriptiva: una encrucijada con la que se encuentra el viajero sirve para que éste traiga a su memoria un episodio perteneciente al capítulo cuarto de la primera parte del *Quijote.* Ejemplos de uno y otro tipo hay más en *La ruta...*[62] y suponen (a lo que creo) tanto la fidelidad a un libro ajeno como un cómodo procedimiento para la animación de

[62] He aquí algunas muestras de ello: Capítulo noveno (del capítulo XX primera parte del *Quijote),* capítulo décimo (de los capítulos XXII y XXIII segunda parte), capítulo undécimo (del capítulo VIII primera parte), capítulo trece (del capítulo VIII segunda parte) y capítulo trece (del capítulo IX segunda parte).

la obra propia; puede también estimarse muestra de culturalismo, rasgo que se refuerza con las relativamente abundantes alusiones literarias, sobre todo, pero también históricas, etc., que hace nuestro autor, lo que se aviene con su condición de erudito, lector de tantos raros y curiosos libros[63].

Una variedad de lugares relacionados (en más o en menos) con el personaje creado por Cervantes; lugares pequeños en número de habitantes, sólo villas e incluso aldeas, perdidos casi en el mapa, de acceso no fácil muchos, más bien abandonados y hasta ruinosos, con una historia a cuestas que es a veces pesado lastre (El Toboso podría servir de ejemplo). Sus pobladores actuales parecen dividirse para el viajero Azorín en gente del pueblo relativamente acomodada, que (como la Xantipa o Higinio Mascaraque) tienen un medio de vida propio, y no acomodada —pensemos en los carreros que le acompañan y guían—; con ellos conviven otras personas de mayor fuste profesional o cultural —don José Antonio, el médico de Puerto Lápice, y los hidalgos que mantienen el culto a Cervantes y a su héroe. Junto a la individualidad con que es presentada la mayor parte de los personajes de *La ruta...*, presentación que se hace más ostensible en la serie de «siluetas» (o retratos) de cuatro vecinos de Argamasilla, encontramos la presentación de los integrantes de esos tres grupos de hidalgos antes invocados: los académicos de Argamasilla, los Sanchos de Criptana, los miguelistas de El Toboso, cuyos nombres conocemos y no mucho más, salvo sus breves intervenciones en el diálogo entablado con el viajero, lo que no va más allá de una sucinta y externa caracterización.

No es precisamente la alegría jocunda lo que prevalece en ese territorio físico (y más que físico) acotado por Azorín en *La ruta...* No pueden producirla hechos como

---

[63] Esa condición azoriniana de «pequeño erudito» (como él gustaría de llamarse) ha sido analizada por E. Inman Fox, «Lectura y literatura», *En torno a la inspiración libresca de Azorín*, págs. 113-141 del volumen *La crisis intelectual del 98*, Madrid, Edicusa, 1976.

los ocurridos en Argamasilla con su iglesia inacabada (en el siglo XVI), o el canal (siglo XVIII), o el ferrocarril (siglo XIX); ni, tampoco, la sensación de ruina irremediable que el viajero experimenta en el renombrado lugar de El Toboso que es un pueblo «vetusto, muerto» y, acaso por ello, un pueblo donde se extrema el habitual silencio de la Mancha. Hay aquí (tal como escribe Azorín) «una condensación, como una síntesis de toda *la tristeza de la Mancha*» (subrayo) y la figura «lenta» de un hidalgo «viejo», única y desvaída presencia humana en este capítulo (el trece), corrobora, al cerrarlo, esa sensación.

El ánimo de nuestro viajero resulta ser ya el más típico azoriniano, una vez extinguido (o muy relegado al olvido) su talante noventayochista; lo que impera al presente es —en una palabra— la melancolía, engendrada por el paso del tiempo y la experiencia de la vida, complejo del cual quedan en el texto de *La ruta...* términos y pasajes reveladores. La disposición con que el viajero parte de Madrid para cumplir el encargo recibido es la propia de quien se encuentra lleno de «cansancio, tristeza y resignación», de quien (cuando piensa en la aventura que le aguarda) siente «una profunda melancolía». No mejorará esa disposición anímica cuando el viajero se encuentre ya en pleno trabajo y a ello contribuyen, vgr., la conversación con personas como el argamasillesco don Rafael, activo antaño y «ahora ya no soy nada», o la impresión que le produce despedirse en Puerto Lápice de su reciente amigo don José Antonio, «a quien no veré más». Incluso cuando la escena queda ocupada un instante por jóvenes y agraciadas muchachas (como las del capítulo once: Sacramento, Tránsito, María Jesús), no se modifica el tono dominante que, otras veces, se prolonga hasta la tristeza y la negrura —como en el breve apunte de ese mismo capítulo, ya a su final:

> Por una senda que cruza la ladera, avanza un hormigueo de mujeres enlutadas, con las faldas a la cabeza, que han salido esta madrugada —como viernes de Cua-

resma— a besarle los pies al Cristo de Villajos, en un distante santuario, y que tornan ahora, lentas, negras, pensativas, entristecidas, a través de la llanura yerma, roja...

Echa mano el autor de *La ruta...*, breve y esporádicamente, de la ironía, presente ya en palabras que dice el viajero, ya en apartes que hace cuando, por ejemplo, conversa (capítulo catorce) con algunos de esos hidalgos, a veces tan pueblerinamente entercados en sus opiniones cervantinas; pero la presencia irónica, de tan leve casi imperceptible, no supone rebajamiento o atenuación considerable de la melancolía.

Pese a conversaciones como la antes aludida *La ruta...* es (como cabía esperar de su autor) un libro más bien de silencios pues parece lo imponen tanto el paisaje natural como el urbano. Así ocurre camino de la cueva de Montesinos, cuando «reina un denso silencio», roto solamente por trepidación tan callada como «el abaniqueo súbito y ruidoso de una perdiz que salta»; o, reforzando la sensación de ruina y abandono, diríase que en El Toboso (capítulo trece) se oye el silencio: «No percibís ni el más leve rumor: ni el retumbar de un carro, ni el ladrido de un perro, ni el cacareo lejano y metálico de un gallo».

El paisaje, ofrecido con relativa abundancia en los capítulos de *La ruta...*, constituye, junto con el retrato externo de algunas personas y la pintura de algunos interiores, material propicio para los pasajes descriptivos del libro, en los cuales quedan patentes la precisión y el orden en las menciones; ya se ha soltado Azorín de la acumulación no selectiva del naturalismo para adherirse a la técnica impresionista que supone una libre y significativa selección de pormenores. Repárese por lo que atañe a la expresión de tales contenidos en la frecuencia adjetival, considerable: triadas pero, también, dos y más adjetivos; de las palabras podemos pasar a unidades o conjuntos en cuya articulación predomina el número 3, lo cual produce un ritmo expresivo lento que parece adecuarse a la andadura física, en carro:

> El cronista se siente abrumado, anonadado, exasperado, enervado, desesperado, alucinado por la visión continua, intensa, monótona de los llanos de barbecho, de los llanos de eriazo, de los llanos cubiertos de un verdor imperceptible, tenue. [...] Y cuando se sale del poblado, por una callejuela empinada, tortuosa, de casas bajas, cubiertas de carrizo; cuando ya en lo alto de los lomazos, hemos dejado atrás la aldea, ante nosotros se ofrece un panorama nuevo, insólito, desconocido en esta tierra clásica de las llanadas, pero no menos abrumador, no menos monótono, no menos uniforme que la campiña rasa.

Narración, también, de, vgr., los preparativos del viaje que, en ocasiones, se completa y anima con el empleo del diálogo, muy a la manera azoriniana éste, a saber: suma concisión en las intervenciones de los interlocutores, igualdad en la importancia a éstos concedida, cierta insistencia reiterativa en lo hablado lo cual lentifica la marcha de la conversación. Bastante más información que la ofrecida por medio del diálogo brindan aquellos párrafos en los que el autor recurre a la historia que fue —como en el capítulo tercero: algunas vicisitudes corridas por los habitantes de Argamasilla—, o medita atraído por el paisaje que contempla o por el recuerdo de alguna aventura quijotesca.

Al reconstruir el itinerario seguido por Azorín en su viaje se puso de manifiesto la estructuración del mismo en torno a tres lugares-núcleo; añadamos a esto —o viaje propiamente dicho—, la partida desde Madrid (capítulo primero) y el remate-resumen (que no vuelta o regreso a Madrid), situado geográficamente (capítulo quince) en Alcázar de San Juan. Yendo ahora a los capítulos (individualmente considerados), cabe referirse a la estructura circular que presentan algunos de ellos: el segundo, por ejemplo, que parte de la fonda de la Xantipa —«estoy sentado en una vieja y amable casa, que se llama Fonda de la Xantipa»— y en ella concluye, tras haber llenado el espacio intermedio (varias páginas) con el relato (recuerdo) del viaje Madrid-Cinco Casas y la posterior llegada a Argamasilla; pequeño círculo que se inscribe en otro más amplio que se abre y cierra en Argamasilla y comprende los capítulos segundo a sexto.

¿Ha cumplido el autor de este libro su anunciado propósito de «contar, punto por punto, sin omisiones, sin efectos, sin lirismos, todo cuanto hago y veo» (capítulo séptimo)? Párrafos atrás quedó constancia de cómo el lector puede advertir algunas omisiones y brevísimas menciones de realidades con las que el viajero-autor hubo de encontrarse en su camino pero verdad fue el resto de tal propósito pues de ninguna retórica efectista o descaradamente lírica echó mano, aunque lirismo de la mejor ley, callado y leve, aparece acá y allá. En más de una ocasión Azorín invoca explícitamente al lector para declararle sus intenciones, pedirle ayuda o invitarle a participar en el recorrido. Hay en todo momento (o en casi todos) un tono claramente personal y personalizado, patente en el insistido empleo de la primera persona del pronombre —«Yo me acerco a la puerta...» (capítulo primero), «y yo he subido...» (capítulo séptimo); «cuando yo salgo...» (capítulo octavo), «yo he preguntado...» (capítulo once); *et sic de caeteris*—, uso de sabor galicista reprochado a nuestro autor por algunos críticos, que parece da la sensación de una mayor inmediatez de quien escribe respecto de lo que escribe. Podría decirse que cuando Azorín compone las crónicas (o capítulos) de *La ruta...*, su dominio y maestría estilísticos son ya evidentes[64].

Fue *La ruta de don Quijote,* según parece deducirse de las ediciones y traducciones que obtuvo sin tardanza (véase el apartado Nuestra Edición), libro de éxito aun-

---

[64] Pero Azorín recuerda en el capítulo IV de *Madrid* (1941) la impresión harto distinta de sus compañeros de *El Imparcial:* «Cuando van llegando a la redacción mis artículos, escritos con lápiz, [...], en las posadas y en los caminos; cuando llegan a la redacción mis artículos, Julio Burell los lee en voz alta y enfática ante los redactores. La entonación altisonante contrasta infelizmente con mi prosa menuda, detallista, hecha con pinceladas breves. Y toda la redacción acoge la lectura con protestas y risas.»

que el docto cervantista Francisco Rodríguez Marín lo descalificara al considerar sus capítulos como «tentativas baladíes en que no hay ni pizca de cervantismo», lo que parece muy apasionada afirmación contra quien sería (andando los años) «el mejor crítico literario de la obra cervantina»[65].

[65] Es afirmación de José María Valverde (pág. 267 de su libro *Azorín,* Barcelona, Planeta, 1971), reforzada cuantitativamente por los recuentos debidos a Ángel Cruz Rueda —«El cervantismo de un cervantista», *Cuadernos de Literatura,* V, Madrid, 1949, págs. 85-113)— y Elena Catena —Azorín, cervantista y cervantino», *Anales Cervantinos,* XII, Madrid, 1973, págs. 73-113.

Nuestra edición

Podemos considerar como primera edición de *La ruta de don Quijote* la inserción en el diario madrileño *El Imparcial* (citaré en adelante EI), marzo de 1905[1], de los quince artículos o crónicas viajeras que Azorín enviaba al periódico desde los lugares recorridos. La primera edición en volumen vio la luz poco tiempo después, dentro de 1905[2].

En abril de 1912, cuando hacía tiempo que esa edición estaba agotada (pues *La ruta...* fue un libro de éxito, a favor de la efemérides cervantina que se conmemoraba y del creciente prestigio de Azorín), salió la segunda, con muy curiosas ilustraciones fotográficas relativas a personas y lugares que el viajero había conocido y visto en el curso de su viaje; el convencimiento azoriniano favorable a que Argamasilla de Alba fuese el lugar man-

[1] Fueron 15 entregas o inserciones con el título general *La ruta de don Quijote* y el particular de cada una, el mismo que ostentan los quince capítulos del libro; los números y días de inserción (siempre en primera página salvo el artículo décimo, en tercera) fueron los siguientes: 1, núm. 13.626, sábado 4-III; 2, núm. 13.628, lunes 6-III; 3, número 13.629, martes 7-III; 4, núm. 13.631, jueves 9-III; 5, núm. 13.633, sábado 11-III; 6, núm. 13.636, martes 14-III; 7, núm. 13.637, miércoles 15-III, 8, núm. 13.638, jueves 16-III; 9, núm. 13.639, viernes 17-III, 10, núm. 13.641, domingo 19-III; 11, núm. 13.643, martes 21-III; 12, núm. 13.644, miércoles 22-III; 13, núm. 13.645, jueves 23-III; 14, núm. 13.646, viernes 24-III; y 15, núm. 13.647, sábado 25-III.

[2] *La ruta de don Quijote (Viaje por la Mancha)*, Madrid, Biblioteca Nacional y Extranjera, Leonardo Williams, editor, 1905.

chego cuna de don Quijote, se refuerza con algunas de esas ilustraciones: «Que pudo nacer el glorioso hidalgo en Argamasilla lo demuestran los retratos que publicamos de él y de su escudero; ninguna prueba más tangible, palmaria, irrecusable.» Hubo en 1915, de mano de Biblioteca Renacimiento (en adelante citaré BR), una tercera edición que reproduce exactamente (en texto y fotografías) la anterior.

Otras ediciones de *La ruta...* que merecen ser mencionadas[3] son las incluidas en el tomo de Obras Selectas (OS) de Azorín que la editorial madrileña Biblioteca Nueva ofreció en 1943 (reeditado en 1953 y 1962) y en el tomo segundo de las obras completas (OC) publicado por la editorial Aguilar en 1947 (reeditado en 1959); ambas ediciones estuvieron al cuidado de Ángel Cruz Rueda y fueron las últimas que Azorín pudo ver y corregir[4].

La novedad más importante producida en el texto de *La ruta...* con el paso de los años y a través de sus varias ediciones ha sido el cambio en 1951 del epílogo que hasta entonces llevaba, titulado *Pequeña guía para los extranjeros que nos visiten con motivo del centenario. The Time They Lose in Spain,* de inequívoco sabor a Larra; en la edición para la serie extra de la colección «Crisol» (de Aguilar, conocida vulgarmente como Crisolín) se ofrece un nuevo epílogo integrado por dos breves apuntes coincidentes en el tema gastronómico manchego pero no quijotesco o cervantino: *Apéndice gazpachero* y *Gazpachos,* que sustituyen al que su autor consideraba (se-

---

[3] Dejo para esta nota algunas otras ediciones sin nada de particular como es el caso de la ofrecida en la Biblioteca Contemporánea (núm. 13) del editor Losada (Buenos Aires, 1938, 1941 y 1944) y la de Edaf (Madrid, 1973; núm. 28 de la serie contemporáneos, en un volumen con *Castilla).*

[4] Motivo por el cual las he tenido muy en cuenta a la hora de establecer un texto solvente de *La ruta...* (tarea, por otra parte, nada difícil) aunque no olvido la declaración azoriniana de 1941 (en *Valencia):* «hasta corregir las pruebas me causa desazón», corroborada por Cruz Rueda en 1953 (núm. 68 de *Revista,* Barcelona): «[...] quien, como yo, ha corregido miles de pruebas de imprenta de Azorín».

gún Cruz Rueda[5]) «inadecuado ya». (En esta edición van uno tras otro ambos epílogos a los que concedo análoga importancia, si bien el de 1905[6] me parece —pese a Azorín— mejor avenido con los capítulos que lo preceden.)

Cabe mencionar igualmente la edición realizada por el hispanista inglés Ramsden en 1966[7], y la numerada (237 ejemplares en papel de hilo, 175.000 pesetas el ejemplar) que lleva prólogo de Santiago Riopérez y Milá e ilustraciones (viñetas y aguafuertes) del pintor Redondela, 1982[8], con la que se cierra nuestro recuento. Consignemos también la existencia de traducciones de *La ruta...* al francés (1914), al noruego (1919) y al alemán (1923).

Mis 46 notas al texto de *La ruta...,* breves y sencillas, cumplen con lo que es requisito acostumbrado en este tipo de ediciones. Algunas de ellas, de acuerdo con el deseo de ofrecer un texto solvente, advierten acerca de variantes existentes entre algunas ediciones, nunca muchas ni muy destacadas; hay notas de información cervantina que bien relacionan pasajes del *Quijote* citados o invocados por Azorín, o se ocupan de otras cuestiones dentro de ese ámbito específico; finalmente, las que atienden a documentar pormenores diversos: alusio-

---

[5] Que escribe en la pág. 1310, tomo IX, O.C. de Azorín: «Todas las ediciones anteriores, ilustradas o no [...] terminaban con la *Pequeña guía para los extranjeros que nos visiten con motivo del centenario* (1905) [...] Mas el maestro Azorín, considerando inadecuado ya este epílogo, escribió especialmente para el *Crisolito* de Aguilar el *Apéndice gazpachero* y *Gazpachos».*

[6] Llegados a este punto conviene advertir que lo que llamo epílogo de la edición de 1905 no fue crónica viajera publicada en *El Imparcial* sino aprovechamiento de un artículo, «The Time They Lose in Spain», aparecido el año anterior en el diario *España.*

[7] *La ruta de don Quijote.* Introducción, notas y estudio crítico de H. Ramsden, Manchester, University Press, 1966; en dicho estudio, que ocupa las págs. 123-215, se trata de la ideología y sensibilidad azorinianas, así como de las formas expresivas y estilísticas utilizadas por el escritor.

[8] *La ruta de don Quijote.* Viñetas y 20 aguafuertes en color por Agustín Redondela. Prólogo de Santiago Riopérez y Milá, Alicante, Galería y Ediciones Rembrandt, 1982, 53×38 cms., 68 págs. (de texto) y 20 aguafuertes firmados y numerados. Tapas media piel, con estuche.

nes históricas, literarias y culturales, talante del escritor Azorín y de su obra, realidades del viaje efectuado y contado, etc. Como tengo muy presentes las pullas de Azorín contra los eruditos anotadores de textos clásicos —y los llamados cervantistas tal vez resulten los peor parados—, he querido evitar como anotador de un libro suyo semejante pecado.

Bibliografía crítica «sobre» Azorín

Ofrecí parte de la bibliografía que sigue en el apartado correspondiente de la Introducción a mi edición de la novela *Don Juan,* de Azorín, en la serie Clásicos Castellanos, núm. 217 (Madrid, Espasa-Calpe, 1977). Añado ahora algunas fichas relativas a trabajos (libros y artículos, homenajes en publicaciones periódicas y volúmenes misceláneos) aparecidos posteriormente.

Azorín ha motivado nutrida bibliografía: reseñas de sus obras, artículos ocasionales y trabajos en revistas especializadas, folletos y unos cuantos libros. Nombres extranjeros y españoles figuran en tal acervo. Del mismo he seleccionado 75 fichas, variadas, significativas y de estimable importancia. Decidí prescindir de libros generales sobre la generación del 98 —los de Jeschke, Laín y Granjel, por ejemplo—, dado que en ellos nuestro escritor resulta un personaje más, pero no protagonista único. Prescindí, asimismo, de libros misceláneos de semblanzas y recuerdos —tal las *Semblanzas literarias contemporáneas,* de Salvador de Madariaga, o las *Memorias de un desmemoriado,* de Luis Ruiz Contreras. Igualmente, de las páginas dedicadas a Azorín en manuales de historia de la literatura española. Quien desee más referencias bibliográficas «sobre» Azorín pueden consultar: *a),* el folleto de Dionisio Gamallo Fierros que se reseña más adelante; *b),* las páginas 669-681 de Joaquín de Entrambasaguas, *Las mejores novelas contemporáneas,* tomo II (1900-1904) (Barcelona, Editorial Planeta, 1958); *c),* las páginas 1371-1381 de *Obras Selectas,* de Azorín (Madrid, Biblioteca Nueva, 1969; es la 4.ª edición), conjunto bibliográfico reunido por Ángel Cruz Rueda y cerrado el 1-X-1961. (A la bibliografía individual sigue un apartado de bibliografía colectiva, integrado por números especiales de publicaciones periódicas y por volúmenes misceláneos.)

ALFONSO, José, *Azorín. En torno a su vida y a su obra,* Barcelona, Editorial Aedos, 1958, 286 páginas, con ilustraciones.

(«No pretendo en este libro —declara su autor— [...] hacer una biografía del escritor [...], sólo busco airear unos materiales vivos, directos, de primera mano, que aporten algunas luces al que haya de trazar la gran biografía del maestro. Esta documentación viva irá salpicada por algunas opiniones y comentarios acerca del escritor.» Menudas y variadas aportaciones —cartas de Azorín, semblanzas de sus hermanos, algunos homenajes que se le han rendido, anécdotas, etc.— integran este libro.)

AMBROSIO SERVODIDIO, Mirella D., *Azorín, escritor de cuentos,* Madrid, Las Américas, 1971, 232 páginas.

(Distingue cuatro periodos en la obra de Azorín: al primero —de 1893 a 1901— corresponde *Bohemia,* conjunto de cuentos que «impresionan por su viveza, su brío y su fuerza»; en el segundo periodo —de 1902 a 1925—, «el cuento brilla por su ausencia», si bien no pocos de los artículos y capítulos de algunos libros de estos años pueden considerarse como cuentos; *Blanco en azul,* 1929, representa el tercer periodo; de 1939 a 1956 va el cuarto y último, dentro del cual caen volúmenes como *Españoles en París, Pensando en España, Sintiendo a España* o *Cavilar y contar*. Siguen: el estudio de los cuentos de Azorín, agrupados temáticamente, y el análisis de su estilo y estructura.)

APONTE, Bárbara B., «El diálogo entre Azorín y Alfonso Reyes», *Ínsula,* núm. 219, Madrid, febrero 1965, págs. 1 y 10.

(La relación amistosa entre Azorín y A. R. comenzó en San Sebastián una mañana de septiembre de 1914; desde entonces a 1958, año del fallecimiento de R., fue sumamente cordial, hasta el punto de que, según R., «no creo que él [Azorín] conociera otro [afecto] más cercano entre gente de generación posterior a la suya». En este artículo se hace la historia de tal relación, apoyándose en las cartas cruzadas entre ambos escritores, cuyo texto, inédito hasta entonces, se ofrece.)

AYALA, Francisco, Azorín, *El escritor y su imagen,* Madrid, Ediciones Guadarrama, 1975, págs. 41-59.

(Con este ensayo pretende A. «salir al paso de algunas deturpaciones que, tendenciosamente, venían perpetrándose acerca de su personalidad». Queda claro que algunos comportamientos de Azorín, tan chocantes como denostados, pueden «inscribirse dentro de lo que pudiéramos caracterizar como un rasgo generacional» y resultan «verdaderos actos de cinismo, si a este vocablo se le reconoce todo su alcance significativo, es decir, su trascendencia filosófica». En cualquier caso, el malestar que puedan causarnos no es razón válida y suficiente para desacreditar y hasta condenar la obra literaria de Azorín.)

AZNAR, Blas, «Personalidad biológica de Azorín», Salamanca, Universidad de Salamanca, «Cuadernos de Historia de la Medicina Española», 1973, 74 páginas.

(El catedrático de Medicina Legal de la Universidad salmantina, convencido de que si «los críticos [literarios] analizaran la obra de Azorín a través de su personalidad biológica» verían con enorme claridad cuestiones que les parecen harto problemáticas («supuestas influencias, semejanzas y paralelismos», por ejemplo), examina dos aspectos de esa personalidad —la estructura dermopapilar (capítulo I) y el grafismo del escritor (capítulo II)— para concluir que en Azorín existe «un marcado predominio de lo caracterológico sobre lo temperamental, de lo intelectivo sobre lo instintivo».)

BAQUERO GOYANES, Mariano, «Elementos rítmicos de la prosa de Azorín», *Clavileño,* núm. 15, Madrid, V-VI de 1952, págs. 25-31.

(Existen en la prosa de Azorín «abundantes elementos rítmicos, aunque manejados siempre con tal arte y delicadeza que su sonoridad no rompe la suave armonía de la que cabría definir como prosa dicha en voz baja». Abundancia de endecasílabos y heptasílabos, menor frecuencia de otros metros, combinaciones varias entre ellos, etc.; ofreciéndose la oportuna ejemplificación.)

BAQUERO GOYANES, Mariano, *Azorín y Miró,* Murcia, 1956, 64 págs.

(Examen de algunos contactos y aproximaciones en la obra de ambos prosistas alicantinos, amigos tan entrañables.)

BESER, Sergio, «Notas sobre la estructura de *La voluntad*», *Boletín de la Sociedad Castellonense de Cultura,* Castellón, XXXVI, 1960, pág. 169-181.

(El examen al que S.B. somete las tres partes y el epílogo de *La voluntad* muestra «la existencia, tras la aparente impresión de carencia de vertebración que puede resultar de una lectura superficial de la novela, de una auténtica voluntad de construcción, en relación siempre con el contenido de la obra».)

BIERVLIET, Malcolm Van, «Una hipótesis sobre el papel de la mujer en el desarrollo de José Martínez Ruiz, el futuro "Azorín"» *Cuadernos Hispanoamericanos,* Madrid, núm. 351, IX-1979, págs. 651-656.

(Apoyándose en textos de Martínez Ruiz pertenecientes a los últimos años del siglo pasado (en los folletos, en colaboraciones periodísticas) y en una carta de Baroja a su amigo (setiembre de 1901, desde Madrid), más la noticia de un intento de suicidio frustrado (enero de 1897), B. conjetura que hubo por entonces uno o más fracasos sentimentales del joven escritor, raíz quizá de «la amargura creciente del desengañado anarquista que antecedió a la formación del *pequeño filósofo* [...]».)

BLANCO AGUINAGA, Carlos, «Los primeros libros de Azorín», *Juventud del 98,* Madrid, Siglo XXI, 1970, págs. 115-164.

(Repaso de todos y cada uno de los «librillos» publicados por José Martínez Ruiz antes de *La voluntad,* 1902, concluyéndose de tal examen que quien los compuso «no fue un luchador revolucionario», pues parece ser que ni siquiera llegó a una militancia política resuelta, si bien negaba «los valores establecidos en la sociedad burguesa de su tiempo» y afirmaba la realidad de las nuevas fuerzas sociales y sus posibilidades de triunfo».)

CAMPOS, Jorge, *Conversaciones con Azorín,* Madrid, Taurus, 1964, 286 págs., con ilustraciones.

(Son dieciocho conversaciones sostenidas, a lo largo de otras tantas mañanas de 1958, «con el hombre que no habla». J. C. ofrece las notas tomadas y brinda así fiel reflejo de lo hablado —preponderan ostensiblemente los asuntos literarios. A partir de la pág. 107 y hasta el final del libro, éste se enriquece con los llamados «Papeles de Azorín», breves apuntaciones que el escritor componía en las horas de la madrugada y regalaba después a su entrevistador.)

CANSINOS ASSENS, Rafael, «Martínez Ruiz *(Azorín)»*, Madrid, 1925, págs. 87-107; 2.ª ed. *Los Hermes,* t. I de *La nueva literatura.*

(Repara C. A. en: *a),* el yoísmo azoriniano —«ningún escritor ha hecho tanto uso de esta palabra [YO], que en su prosa adquiere fueros de mayúscula»—; *b),* su atención por el pormenor; *c),* su falta de imaginación —«la loca de la casa ha turbado muy poco a Azorín, y su obra es como una casa en la que no hay niños»—; *d),* su condición de creador de un estilo *gráfico* que ha pasado ya a la prensa diaria; *e),* como crítico es Azorín «quien inicia esa crítica tolerante y humana [...] que dejará de perseguir la fealdad por las vías estrechas del estilo para buscar sólo la belleza en cada obra y mostrarla a las gentes».)

CATENA, Elena, «*Azorín,* cervantista y cervantino», *Anales cervantinos,* XII, Madrid, 1973, págs. 73-113.

(El interés de Azorín por la obra y la biografía de Cervantes —su cervantismo— consta claramente en libros como *La ruta de don Quijote* o *Con permiso de los cervantistas* (1948) y en buen número de artículos periodísticos, conjunto recontado y comentado en este trabajo que su autora define como «pequeña antología comentada de sus [de Azorín] textos cervantinos».)

CLAVERÍA, Carlos, «Sobre el tema del Tiempo en Azorín», *Cinco estudios de literatura española moderna,* Salamanca, 1945, págs. 49-67.

(C. anticipa las líneas maestras de un estudio acerca del tema del Tiempo en la obra de Azorín. Riqueza de matices en el tratamiento del mismo; variedad de épocas, ya que puede hablarse de «un renacimiento y una renovación profunda [...], coincidiendo precisamente con la crisis de renovación total que sufre la obra azoriniana entre los estrenos de *Old Spain* y de *Angelita* [...]; la perduración del tema del Tiempo se hace también patente, con viejas y nuevas tonalidades, en los ensayos escritos en los tristes años del exilio durante la guerra civil para reaparecer con vigor en los libros posteriores a 1939».)

CRUZ RUEDA, Ángel, «Nuevo retrato literario de Azorín», Obras completas, tomo I, Madrid, Aguilar, 1947, páginas XIII-CXXVII.

(C.R., que tanto escribió acerca de Azorín, que tanto ha contribuido al conocimiento de su obra, declara que en esta ocasión «más que lo raro, buscaremos lo fundamentalmente atractivo en la vida de un hombre tan en concordancia con su producción literaria».)

—«El cervantismo de un cervantista», *Cuadernos de Literatura,* V, Madrid, 1949, págs. 85-113.

(«Desde el primer folleto que publicó el maestro, *La crítica literaria en España,* 1893, [...], rara será la publicación suya, incluso de teatro, en donde no se lea alusión, comentario, glosa o estudio referente al inmortal alcalaíno.» C. R. lo prueba fehacientemente con el minucioso recuento que ofrece.)

DENNER, Heinrich, *Das stilproblem bei Azorín,* Zurich, Rascher, 1932, XII y 262 páginas.

(Estudio abundantemente ejemplificado acerca de aspectos del estilo azoriniano: construcción paratáctica, impresionismo, ritmo en la prosa, subjetivismo y afectividad, uso del diálogo, etc.)

DÍAZ-PLAJA, Guillermo, *En torno a Azorín,* Madrid, colección Austral, núm. 1582, 1975, 200 páginas.)

(Esta subtitulada «obra selecta temática» es (como se lee en el prólogo) «testimonio de medio siglo de admiración afectuosa a uno de los grandes maestros de las letras contemporáneas»; recoge piezas muy diversas en asunto, extensión y fecha desde, por ejemplo, un juvenil ensayo de 1928 sobre el teatro azoriniano (que premió *La Gaceta literaria)* hasta el relato de una última visita al escrtitor (en octubre de 1966) y un breve artículo necrológico *(Planto por Azorín).* Cierran el libro, en forma de apéndice, algunas cartas de Azorín a D.-P.)

ENGUÍDANOS, Miguel, «Azorín en busca del tiempo divinal», *Papeles de Son Armadáns,* núm. 43, Palma de Mallorca, octubre 1959, págs. 13-32.

(Artículo acerca de *Doña Inés,* «una de las grandes novelas españolas del siglo XX». E. establece la identificación del personaje D. Pablo con el autor Azorín, y considera que la historia de amor de la protagonista en Segovia no es más que «sutil pretexto para contarnos otra tragedia más honda: la del artista que se ha quedado pavorosamente pasmado ante el misterio y la belleza del tiempo, así como ante su lógico reverso, el no-tiempo o tiempo divinal».)

FERRERES, Rafael, *Valencia en Azorín,* Valencia, Ayuntamiento de Valencia, 1968, 70 páginas.

(Cumplido recuento de la relación del escritor con la ciudad de Valencia que fue, sobre todo, una estancia como alumno universitario (1888-1896), la publicación de los primeros folletos (cinco en total) y sus colaboraciones en *El Mercantil Valenciano, El Pueblo* y la revista *Las Bellas Artes* —firmadas con los seudónimos de «Ahrimán» y «Don Abbondio», y por J. Martínez Ruiz—, cuyo texto es exhumado en apéndice.)

GAMALLO FIERROS, Dionisio, *Hacia una bibliografía cronológica en torno a la letra y el espíritu de Azorín,* Madrid, 1956. Un folleto de 70 páginas, separata, notablemente aumentada, del número XXVII del *Boletín de la Dirección General de Archivos y Bibliotecas.*

(Estimándola «como un ser vivo», G. F. ofrece una bien nutrida bibliografía acerca de Azorín, con sus piezas dispuestas cronológica y no alfabéticamente: desde 1873, día 8 de junio, nacimiento en Monóvar, hasta 1955, año en que se traduce al castellano el libro de Anna Krause y en que —día 2 de octubre, a primera hora de la tarde— Azorín sufre una caída, con rotura en la pierna izquierda.)

GARCÍA MERCADAL, José, *Azorín, biografía ilustrada,* Barcelona, Ediciones Destino, 1967, 172 páginas, con ilustraciones.

(G. M., ofrece en este libro un relato completo de la existencia de José Martínez Ruiz, relato que avalora la profusión de ilustraciones.)

GLENN, Kathleen, M., *The novelistic technique of Azorín (José Martínez Ruiz),* Madrid, colección «Plaza Mayor Scholar», 1973, 132 páginas.

(G. considera tres periodos en la producción de Azorín, a saber: 1.º), de 1902 a 1925 —seis novelas—; 2.º), de 1928 a 1930

—tres novelas—; 3.º), de 1942 a 1944 —seis novelas. Básicamente se parecen esas novelas, ya que muestran características bastante similares. Dedica especial atención G. a cuatro títulos que juzga más representativos en cada caso —*Antonio Azorín* y *Tomás Rueda* para el estudio del punto de vista y de la omnisciencia del autor (primera parte); *Doña Inés* para el estudio del tiempo y de la intemporalidad en la concepción novelística de Azorín (segunda parte), y *Salvadora de Olbena* para el estudio del cambio experimentado por el tratamiento de la realidad en Azorín (tercera parte).

GÓMEZ-SANTOS, Marino, *«Azorín», Españoles sin fronteras,* Barcelona, Planeta, 1983, págs. 66-89.

(Utilizando como material erudito las cartas enviadas por Azorín al doctor Marañón entre 1937 (refugiado en París) y 1944 (regresado ya a España), ocho cartas en total, se reconstruye la biografía del escritor durante unos años especialmente difíciles (guerra y postguerra españolas, segunda guerra mundial).

GÓMEZ DE LA SERNA, Ramón, *Azorín,* Buenos Aires, Editorial Losada, núm. 95 de «Biblioteca Contemporánea», 1942, 246 páginas. La 1.ª edición de este libro, edición de lujo, había aparecido en España, año 1930.

(«Azorín ha sido mi mayor admiración literaria», declara G. de la S. en el prólogo, donde se manifiesta lleno de gozo por haberle sido dado «realizar la trasposición completa y verídica de su vida [la de Azorín], y para eso ha contado con su consentimiento, pues ha llegado a merecer su trato personal». Ramón ha compuesto uno de sus peculiares libros biográficos, tan escasamente coherentes y tan largamente profusos, tan llenos, asimismo, de felices intuiciones caracterizadoras.)

GONZÁLEZ-BLANCO, Andrés, *Los Contemporáneos,* 1.ª serie, París, 1907, págs. 1-73.

(Madrugador trabajo éste de G.-B., donde se caracteriza el estilo azoriniano, se advierte una evolución en el talante del escritor —«apenas si se reconoce en el evocador de *Las confesiones de un pequeño filósofo* al polemista de *Charivari*»—, y se muestra el influjo de la manera azoriniana en periodistas y escritores de entonces.)

GRANELL, Manuel, *Estética de Azorín,* Madrid, Biblioteca Nueva, 1949, 234 páginas.

El autobiografismo de algunas páginas de nuestro escritor; el espacio y el tiempo; la realidad en torno; la valoración del paisaje: he aquí algunas de las cuestiones abordadas por M. G.)

GRANJEL, Luis S., *Retrato de Azorín,* Madrid, Ediciones Guadarrama, 1958, 320 págs., con ilustraciones.

(«En esta obra mía —declara G. en el prólogo—, en las dos partes que la componen (I, El escritor; II, La obra), faz y envés de un mismo tema, se ha de hablar de quien quiso ser José Martínez Ruiz y del que en realidad fue; conocerá el lector al escritor Azorín y con él su obra literaria, los capítulos que la integran, cuantos motivos le impulsaron a realizarla y el mundo ideológico que se la inspiró, todos enraizados a esa realidad única, casi obsesiva, que para él es España.»)

—«Médicos y enfermos en las obras de Azorín», *Baroja y otras figuras del 98,* Madrid, Ediciones Guadarrama, 1960, páginas 317-335.

(Tomando pie en unas palabras de Laín Entralgo se hace recuento de los médicos que «cobran vida en las obras de nuestro escritor» y se presenta a unos cuantos personajes azorinianos, enfermos, «cuya principal razón de existencia es vivir los males que les afligen».)

HOYOS, Antonio de, *Yecla de Azorín,* Murcia, Patronato de Cultura de la Excma. Diputación, 1954, 126 páginas.

(Se trata más bien de un apunte acerca de *La voluntad,* «el mejor libro de Azorín», libro que «trasciende y supera el género [novela] y sitúa al lector ante una cadena larga de problemas y de preocupaciones». Yecla, el pueblo murciano donde sucede parte de la acción, es algo así como un símbolo: «cuando Azorín se queja de la vida de Yecla, su sentir abarca todo el ámbito nacional. No es sólo Yecla el pueblo que necesita cambiar y dar a su vida un estilo de vitalidad mayor; es España entera la que está falta de este impulso de creación social y política»; de ahí el noventayochismo de *La voluntad.*)

INMAN FOX, E., *Azorín as a Literary Critic,* Nueva York, Hispanic Institute in the United States, 1962, 176 páginas.

(I. F. ha escrito que «en mi opinión, Azorín es el más importante crítico literario español del periodo contemporáneo», y ello tanto por el volumen «asombroso» de su obra crítica como por el acierto de muchas de sus opiniones, algunas de las cuales resultan «revolucionarias para el periodo en que fueron escritas». En este libro se examinan los postulados teóricos del crítico Martínez Ruiz-Azorín, postulados no inmutables —capítulo III—; se pasa revista a sus estimaciones de escritores españoles medievales, clásicos y modernos —capítulo IV—; y en el capítulo V se considera la disputada cuestión de la generación del 98.)

—«Una bibliografía anotada del periodismo de José Martínez Ruiz *(Azorín)*: 1894-1904», en *Revista de Literatura,* XXVIII, Madrid, 1965, págs. 231-244.

(Se trata de un catálogo (con algunas anotaciones indicativas de su contenido) de los artículos publicados por M. R. —256 en total— durante los años señalados en el título, y en los periódicos y revistas que se mencionan en la pág. 233. I. F. destaca en una breve introducción algunas como líneas maestras del conjunto, por ejemplo: el anarquismo del joven escritor; su devoción por «Clarín»; su interés por el teatro; uso frecuente del diálogo; novelización de episodios incluidos después en sus primeras novelas.)

—«José Martínez Ruiz. (Sobre el anarquismo del futuro, *Azorín*», en *Revista de Occidente,* núm. 35, Madrid, febrero, 1966; páginas 157-174.

(Es como un obligado complemento de la ficha que precede. M. R. escribió en esas colaboraciones y en los folletos que sacaba por entonces cosas tremendas, de un muy radical anarquismo. Después (¿a partir de 1901?) sucede un cambio en su talante (¿acaso por una fuerte desilusión?), y comienza a insinuarse el «Azorín» que todos conocemos.)

—«Lectura y literatura. (En torno a la inspiración libresca de *Azorín*», en *Cuadernos Hispanoamericanos,* núm. 205, Madrid, enero, 1967, págs. 5-26.

(Basándose en textos de Azorín y en la apariencia de algunas de sus obras, destaca I. F. la raíz libresca de su creación. Como quiera que otros libros ajenos «siempre han sido el arranque de su inspiración artística y hasta podemos decir que le han suministrado casi la totalidad de su experiencia», el arte de nuestro escritor se le presenta al crítico como «esencialmente anti-realista y anti-realidad».)

KRAUSE, Anna, *Azorín, el pequeño filósofo,* Madrid, Espasa-Calpe, 1955, 266 páginas. Este libro, en su original inglés, se había publicado en 1948 por la Universidad de California.

(Se subtitula *Indagaciones en el origen de una personalidad literaria,* y para ello se atiende a los folletos del pre-«Azorín» y a las novelas autobiográficas que van de 1902 a 1904, si bien alguna vez se ejemplifica con textos pertenecientes a obras posteriores. K. quiere mostrar cómo fue haciéndose el escritor y el hombre: fases por las que pasó, ambientes que conoció, influencias humanas y librescas que dejaron huella.

LAJOHN, Lawrence Anthony, *Azorín and the Spanish Stage,* Nueva York, Hispanic Institute in the United States, 1961, 208 páginas.

(Consta el libro de cuatro capítulos, a los que sigue una bibliografía «DE» Azorín —en cuanto autor dramático, y crítico y teórico del teatro— y «SOBRE» Azorín —general, si acaso con atención preferente al tema teatral. En el cap. II, «Azorín and the theatre», se repasa documentadamente la actitud de nuestro escritor ante el teatro de su patria, a partir de *La Celestina* y hasta Benavente; en el cap. III, «Azorín's theatre», se estudia pieza a pieza su producción dramática; para concluir en el capítulo IV, «Azorín's theatre in theory and practice», a favor de la variedad, originalidad y carácter renovador de la misma.)

LAMIQUIZ, Vidal, *Ciudades en Azorín. De León por Córdoba a Sevilla,* Sevilla, Publicaciones de la Universidad de Sevilla, 1973, 104 páginas.

(Se trata de un análisis semántico-estilístico de algunos textos azorinianos relativos a las ciudades mencionadas en su título, cuya conclusión más relevante es que si los contenidos resultan tópicos. La técnica de expresión formal constituye ejemplo cimero de impresionismo lingüístico.)

LIVINGSTONE, León, *Tema y forma en las novelas de Azorín,* Madrid, Gredos, 1970, 242 páginas.

(L. estudia el dualismo contradictorio —Realidad contra Irrealidad, Tiempo contra Historia, Inteligencia contra Voluntad—, patente en las novelas de Azorín; se ocupa, asimismo, de algunos rasgos formales o de estilo, que actúan casi siempre en función *de* y en relación *con* los temas.)

LOTT, Robert E., *The Structure and Style of Azorín's «El caballero inactual»,* Athens, University of Georgia Press, 1963, 108 páginas.

(En el capítulo inicial se estudia el que L. denomina «periodo experimental» de Azorín y se examina su actitud ante los ismos literarios del momento. Se entra luego en el examen del libro que en 1928, año de publicación, se titulaba *Félix Vargas,* poseedor, como tantos otros relatos azorinianos, de un argumento leve y sencillo, pretexto ahora para presentar desde dentro —sensaciones, reflexiones, recuerdos— a un protagonista. En un apéndice, L. se refiere a la posible influencia sobre el Azorín de este periodo de la *Correspondencia* cruzada entre Jacques Rivière y Alain Fournier, y al parentesco entre el «método» de Félix Vargas y el de Rainer María Rilke.)

MARTÍNEZ CACHERO, José María, *«Clarín* y Azorín. Una amistad y un fervor)», *Archivum,* Universidad de Oviedo, III, 1953, págs. 159-180.

(Noticia de la relación personal y literaria entre ambos escritores, desde enero de 1897 a junio de 1901 (fallecimiento de Leopoldo Alas). Se exhuman textos periodísticos de uno y otro; se publican tres cartas inéditas de Martínez Ruiz a Alas (de 1897 y 1898); se da cuenta, en un apéndice, de lo escrito por Azorín a propósito de su colega y amigo.)

—*Las novelas de Azorín,* Madrid, Ínsula, 1960, 320 páginas con ilustraciones.

(Estudio de la teoría y de la práctica novelísticas de Azorín. El conjunto de sus novelas (dieciséis títulos en total) se reparte en cuatro etapas, cada una de las cuales ofrece, sin romper la común unidad azoriniana, sus peculiaridades temáticas y técnicas.)

—«Azorín, maestro de estilo», *Homenaje a Samuel Gili Gaya,* Barcelona, Bibliograf, 1979, páginas 163-170.

(Dentro del influjo ejercido por Azorín en la literatura española contemporánea, y junto a lo que pudiera denominarse proyección literal de su escritura, debe considerarse otra manera de proyección, más honda y menos ostentosa pero no menos cierta: la de su espíritu y sensibilidad en el talante de escritores que no le son discipularmente afines pero en los que deja huella, vgr., su actitud ante el lenguaje, el paisaje, los hombres de España o nuestros clásicos; se pasa revista a una y otra proyección desde, aproximadamente, 1907 hasta mediados de siglo.)

MEREGALLI, Franco, *Azorín,* Milán, Malfasi, 1948, 68 páginas.

(Tras un capítulo de introducción dedicado a la generación del 98, son estudiados: el pre-«Azorín» —capítulo II—, *La voluntad* —cap. III— y el resto de la obra de nuestro autor —capítulo IV—, hasta sus libros y colaboraciones más recientes en 1984. Destacan las páginas acerca de *La voluntad,* considerada como «il libro di Azorín, quello in cui egli ha posto tutto se stesso, la propria personalità non ancora definitivamente sistemata, ma nel momento decisivo in cui assume le sue fattezze».)

MONTES HUIDOBRO, Matías, «Un retrato de Azorín: Doña Inés», en *Revista de Occidente,* núm. 81, Madrid, diciembre, 1969, págs. 362-372.

(Examen de algunos aspectos, diríamos técnicos, de la novela así titulada y de la semblanza de su protagonista: la precisión, digna de un escritor costumbrista; las manos de doña Inés, en su doble proyección: «histórico-individual» e «histórico-colectiva»; uso del silencio; presencia del sentido del tacto, etcétera.)

MONTES HUIDOBRO, Matías, «"Comedia del Arte" resucitada», *Primer Acto*, núm. 161, Madrid, págs. 4-12.

(M. H. advierte, de entrada, que esta pieza «merece una revalorización», pues en ella Azorín «utiliza la técnica del teatro dentro del teatro y lo realiza con extraordinaria eficacia». Sigue penetrante análisis de varios aspectos de la obra.)

MULERTT, Werner, *Azorín, (José Martínez Ruiz),* Madrid, Biblioteca Nueva, 1930. Este libro, en su original alemán, se había publicado en 1926.

(Es una pormenorizada obra, más noticiosa que valoradora, aunque no carente de acertadas indicaciones críticas, en la que se atienden todos los aspectos del escritor Azorín. Fue puesta al día por uno de los traductores, Ángel Cruz Rueda, a quien se deben los apéndices 1.º —*Nuevas obras:* desde el folleto *Racine y Molière,* 1924, hasta la prenovela *Superrealismo,* 1929— y 2.º —*El teatro de Azorín,* documentada información acerca de la actividad dramática de nuestro autor.)

ORTEGA Y GASSET, José, *Azorín o los primores de lo vulgar.* Entrega segunda de *El Espectador,* 1917. Puede leerse, por ejemplo, en las páginas 207-258 de la edición de este libro orteguiano por Biblioteca Nueva, Madrid, 1950.

(Tomando pie en *Un pueblecito,* libro azoriniano que sale en 1916, Ortega divaga bella y sutilmente acerca de la peculiar estética de nuestro autor, gran artista de lo aparentemente vulgar, cuyo lema podría ser el de *Maximus in minimis.)*

PÉREZ DE LA DEHESA, Rafael, «Un desconocido libro de Azorín: *Pasión (cuentos y crónicas),* 1897», en *Revista Hispánica Moderna,* XXXIII, 1967, págs. 280-284.

(Noticia de un libro que José Martínez Ruiz decidió finalmente no publicar e indagación de las posibles razones de ello. Leopoldo Alas se había negado a prologarlo, invocando para su negativa «las enormidades morales, sociológicas y religiosas» en el mismo contenidas.)

—«Azorín y Pi y Margall. Olvidados escritos de Azorín en *La Federación* de Alicante, 1897-1900», en *Revista de Occidente,* núm. 78, Madrid, septiembre de 1969, págs. 353-362.

(En carta fechada en Monóvar a 21-IX-1897 y dirigida a don José Pérez Bernabeu, Martínez Ruiz se adhiere al Partido Federal y a su línea política; desde entonces su nombre aparecerá con frecuencia en las páginas del semanario alicantino *La Federación,* órgano de ese grupo político, firmando algunas colaboraciones. Apunta P. de la D. que en las filas progresistas de Pi y Margall le era posible al joven Martínez Ruiz «mantener su radicalismo dentro de un marco de mayor respetabilidad y aceptación social».)

PÉREZ LÓPEZ, Manuel M.ª, *Azorín y la literatura española,* Universidad de Salamanca, Secretariado de Publicaciones e Intercambio Científico, 1974, 300 páginas.

P. L. se ha propuesto como objetivo en este trabajo «determinar la total visión de la literatura española en Azorín, mediante una consideración exhaustiva de sus escritos»; utiliza los nueve tomos de las Obras Completas, y libros y artículos todavía no incorporados a ellas. Distribuye ordenadamente las referencias obtenidas en cinco capítulos —Edad Media (I), Siglo de Oro (II), Siglo XVIII (III), Siglo XIX (IV) y Siglo XX (V)—, que complementa con un apéndice bibliográfico o lista de escritos azorinianos acerca de nuestra literatura. Semejante repaso le conduce a un capítulo final *—¿Un sistema crítico?—,* en el que, esboza sólo cuestiones relativas al modo de actuar de Azorín en cuanto crítico literario; su técnica impresionista, su concepto de los clásicos, etcétera.)

PERONA SÁNCHEZ, José D., *El vocabulario vital e irracional en Azorín,* Alicante, Instituto de Estudios Alicantinos, 1981, 100 páginas.

(El examen pormenorizado de los campos semánticos «Angustia», «Ansia», «Energía» y «Fuerza» en las novelas que integran la llamada saga de Antonio Azorín revela como conclusión última que «la cantidad casi obsesiva de palabras del vocabulario vital e irracional que aparece en *La voluntad,* se reduce casi a la nulidad en *Antonio Azorín* y *Las confesiones de un pequeño filósofo»).*

RAND, Margarite C., *Castilla en Azorín,* Madrid, Revista de Occidente, 1956, XVIII y 778 páginas.

(Minucioso y ordenado inventario de textos azorinianos. «Muchos de los lectores de Azorín —declara R. en nota preliminar— quizá carezcan de tiempo para leer todas sus obras, y me ha parecido que podría prestar un buen servicio condensando en un volumen la descripción de Castilla que Azorín nos ofrece, y que así se proporcionaría también una idea del enorme interés y de la belleza que encierran las Obras Completas.»)

RICO VERDÚ, José, *Un Azorín desconocido. Estudio psicológico de su obra,* Alicante, Instituto de Estudios Alicantinos, 1973, 204 páginas, con ilustraciones.

(R. V. presenta así su libro: «consta de un estudio exhaustivo de la figura de don Miguel Amat y de su influencia en el joven Martínez Ruiz, y de un acercamiento a la persona de Azorín». Utilizando documentación existente en la Casa-Museo de Azorín (en Monóvar), sobre todo la novela inédita *Soledad,* debida a Amparo Martínez Ruiz, R. V. hace revelaciones muy considerables —por ejemplo: el hogar en que nació el escritor era «un hogar infeliz» (pág. 35), «[...] el futuro Azorín pasó su niñez en este ambiente de gritos y violencias, de callar, de falta de ternura, de admiración de la propia madre como víctima del padre» (pág. 37)—, a base de las cuales pretende explicar algunos rasgos de la enigmática psicología de Azorín.
Otros pasajes de este libro constituyen también novedad, como: la explicación del primer cambio en la ideología de J. Martínez Ruiz, o del catolicismo al anticlericalismo y anarquismo (página 69); el descubrimiento de otro seudónimo, «Fray José», utilizado por Martínez Ruiz en sus colaboraciones para *La Educación Católica)* (págs. 124-125).

RIOPÉREZ Y MILÁ, Santiago, *Azorín íntegro. (Estudio biográfico, crítico, bibliográfico y antológico). (Iconografía azoriniana y epistolarios inéditos),* Madrid, Biblioteca Nueva, 1979, 758 páginas.

(Culmina con este amplio y extenso volumen la dedicación azoriniana de su autor, de la que hasta ahora habíamos tenido muestra abundante en forma de colaboraciones periodísticas. R. ha dispuesto para componerlo de las noticias obtenidas en frecuentes conversaciones con Azorín y, también, de los libros y papeles de su biblioteca, ahora conservada en la Casa-Museo de Monóvar).

RISCO, Antonio, *Azorín y la ruptura con la novela tradicional,* Madrid, Alhambra, 1980, 284 páginas.

Ha llegado la hora de estimar su novedad y modernidad en lo que atañe, vgr., al uso del espacio y del tiempo, a la estructura o construcción novelesca, a los personajes y al lenguaje, aspectos tratados por R. en otros tantos capítulos quien, además, desea mostrar «los puntos de contacto de esta novela [la azoriniana] con las experiencias novelescas contemporáneas a partir, sobre todo, de las que emprendió el *Nouveau Roman* francés».

ROMERO MENDOZA, Pedro, *Azorín. (Ensayo de crítica literaria.)*, Madrid, C.I.A.P., 1933, 202 páginas.

(Se trata de un ensayo en antipatía, injusto e incomprensivo más de una vez. Sin embargo, R. M. concluye —pág. 188—: «Cuando pase un siglo y la perspectiva histórica depure y afine la figura interesantísima de este escritor, o mucho nos equivocamos o se le tendrá por original y glorioso, sin que falte tampoco, tras la enumeración de sus méritos, el cortejo de sus singulares extravagancias».)

SAINS DE BUJANDA, Fernando, *Clausura de un centenario. Guía bibliográfica de Azorín*, Madrid, Revista de Occidente, 1974, 284 páginas.

(De entrada, advierte S. de B.: «carecemos a estas alturas de una guía bibliográfica satisfactoria de la obra azoriniana», y a suplir esa carencia se aplica. Trabaja cuidadosísimamente con los libros azorinianos publicados, ciento cuarenta títulos en total, consignando los pormenores pertinentes de sus primeras ediciones y refiriéndose a las modificaciones que su texto haya podido sufrir con posterioridad. Precede a este repaso una documentada y acertada historia de las vicisitudes bibliográficas, y más que bibliográficas, de la producción de Azorín desde 1893 —año del discurso *La crítica literaria en España* y del folleto *Moratín*— hasta días bien recientes, muerto ya el escritor.

TORRES MURILLO, José Luis, *«Azorín, periodista», Gaceta de la Prensa Española*, número 113, Madrid, XI-XII de 1957, págs. 3-42.

(T. M. considera los temas y los géneros periodísticos cultivados por Azorín, así como algunas de sus ideas acerca del periodismo. Rememora su colaboración en diarios como *El Progreso, El Globo, España* —donde Martínez Ruiz comenzó a firmar «Azorín»—, *El Imparcial* o *ABC*. Concluye que Azorín «posiblemente no ha sido plenamente periodista nunca. Sin embargo, su periodismo, con el de otros escritores del 98, ha dado una nueva orientación al periodismo posterior, por su lenguaje, por sus temas y por su perennidad y altura».)

TUSELL GÓMEZ, Xavier y Genoveva García Queipo de Llano, «Cartas inéditas de Azorín a Juan de la Cierva», *Revista de Occidente,* núm. 98, Madrid, mayo de 1971, págs. 205-217.

(Es una selección de la correspondencia dirigida por Azorín a dicho político conservador; catorce cartas, que van de septiembre de 1921 a agosto de 1930. La política es el asunto más constantemente tratado en ellas, pero en la carta núm. 11 (desde San Sebastián, 13-VIII-1927), Azorín se refiere a su empeño teatral.)

VALVERDE, José María, *Azorín,* Barcelona, Planeta, 1971, 412 páginas.

(V. se ha documentado largamente: ha visto, por ejemplo, periódicos en los que ya J. Martínez Ruiz, ya «Azorín», colaboró con artículos aún no recogidos en volumen. Hace sugerentes indicaciones acerca de la formación del peculiar estilo azoriniano, señalando líneas de procedencia y autores que, posiblemente, cumplieron una labor ayudadora y magistral. Entremezcla V. vida y obra, lo cual produce una mayor sensación de continuidad pero a veces, era inevitable, ha debido detener el curso de la narración vital para dedicar algunos capítulos al estudio pormenorizado de ciertos títulos del escritor. A mi ver, desacierta V. en: *A),* la incomprensión respecto a la novelística azoriniana, acaso porque el crítico quiere atenerse a una normativa tradicional y no se da cuenta de que fuera de ella puede haber, hay, otras posibilidades para el género narrativo, posibilidades que Azorín inventa o acepta; *B),* V. parece negarse a admirar el encanto de tantas páginas azorinianas como alejadas de este mundo o descomprometidas, mas no por ello carentes de valor e interés. Muy revelador al respecto resulta el párrafo que en la página 345 dedica a comentar el discurso de ingreso de Azorín en la Academia Española de la Lengua.)

VILLARONGA, Luis, *Azorín, su obra, su espíritu,* Madrid, 1931, 208 páginas.

(Se trata de un ensayo en simpatía, fino y sensible, con expresión muy azoriniana. V. lo define así: «El homenaje al maestro a quien debemos tantas horas de emoción. Hablaremos de la personalidad del maestro; hablaremos de su obra. Pero no será éste un estudio metódico, concienzudo; no será tampoco un libro de crítica literaria».)

ZAMORA VICENTE, Alonso, «Lengua y espíritu en un texto de Azorín», en *Lengua, literatura, intimidad,* Madrid, Taurus, 1966, págs. 125-171.

(Bello y penetrante comentario al cap. XVI, «La poesía de Castilla», del libro *España,* 1909.)

ZULUETA, Emilia de, «Del sinfronismo azoriniano», en *Estudios sobre literatura y arte dedicados al profesor Emilio Orozco Díaz,* tomo III, Universidad de Granada, 1979, páginas 571-582.

(Propuesta de análisis del cuento azoriniano *Una carta de España,* incluido en el libro *Españoles en París* (1939), cuidando primordialmente el «perfecto acorde entre la captación de *la quinta esencia de la vida* [...] y esa elocuencia que surte *de la urdimbre rítmica y silenciosa de los pequeños hechos».)*

BIBLIOGRAFÍA COLECTIVA

1) *Publicaciones periódicas*

ABC, Los domingos de, Azorín, número monográfico, Madrid, 3-VI-1973.

(Artículos breves, encuestas, textos azorinianos y una valiosa ilustración gráfica se juntan en las 80 páginas de este número-homenaje al cumplirse el primer centenario del nacimiento de Azorín.)

ANALES AZORINIANOS, número 1, 1983-84. Casa-Museo Azorín, de Monóvar, 166 páginas.

(Según se declara en la presentación de la revista, «queremos iniciar una serie de publicaciones que sirvan de cauce, a través del cual puedan manifestarse los esfuerzos investigadores que [...] se efectúan en torno a Azorín. De este modo, contribuiremos mejor a rescatar a nuestro autor de ese olvido injusto en el que se le quiere encerrar»; artículos y notas de tema azoriniano pero de vario asunto —biografía, bibliografía, epistolario, novela y teatro de Azorín, etc.— integran el contenido de este primer número.)

CUADERNOS HISPANOAMERICANOS, *Homenaje a Azorín 1873-1967*, núms. 226-227, Madrid, Instituto de Cultura Hispánica, 1968, 532 páginas, con ilustraciones.

(Artículos de mero recuerdo-homenaje alternan con trabajos eruditos y críticos relativos a: relación de Azorín con otros escritores, exhumación de colaboraciones periodísticas, epistolario, narración, teatro y crítica literaria y política de Azorín, etc.)

CUADERNOS DE LITERATURA CONTEMPORÁNEA, números 16-17, Madrid, Consejo Superior de Investigaciones Científicas, 1945.

(Cruz Rueda preparó este número de una revista oficial dedicado a un escritor noventayochista en un momento en el que la generación del 98 gozaba de mala prensa en España. Una útil bibliografía «DE» y «SOBRE» Azorín (a la altura de mil novecientos cuarenta y algo), más algunas colaboraciones acerca de su prosa y su teatro.)

ÍNSULA, núm. 246, Madrid, mayo de 1967.

(Conjunto de colaboraciones motivadas por el fallecimiento de Azorín en marzo de 1967, relativas a títulos, aspectos y momentos de su actividad literaria y periodística.)

LETRAS DE DEUSTO, núm. 6, Bilbao, Universidad de Deusto, 1973.

(Tres estudios y tres notas acerca de aspectos del arte azoriniano o de más concretas cuestiones: Azorín y las Vascongadas, Azorín y el llamado grupo de «Los 3», Azorín y la *Electra* de Galdós.)

LIBRO ESPAÑOL, EL, número 112, IV-1967, tomo X, Madrid, Instituto Nacional del Libro Español, págs. 233-332.

(Cien páginas justas en las que se recoge gran parte de los artículos publicados a la muerte de Azorín —2-III-1967— en periódicos y revistas españoles.)

REVISTA, *Azorín en sus 80 años*, núm. 68, Barcelona, 1963, 20 páginas, con ilustraciones.

(Número extraordinario de esta publicación semanal. Escriben acerca de la personalidad y obra del escritor homenajeado los colaboradores habituales de *Revista.)*

Revista de Occidente, núm. 4 de la 2.ª época, Madrid, julio de 1963.

(En las págs. 74-83 se ofrecen seis breves «testimonios de admiración al maestro común», obra de Rafael Lapesa, Julián Marías, Pedro Laín Entralgo, José Antonio Maravall, Fernando Chueca Goitia y Paulino Garagorri, en algunos de los cuales existen sugerencias de interés.)

2) Volúmenes misceláneos

Azorín, cien años (1873-1973), Sevilla, Publicaciones de la Universidad de Sevilla, 1974, 362 páginas.

(Con motivo del centenario del nacimiento de Azorín un grupo de profesores y escritores andaluces (catorce, en total) preparó este volumen-homenaje con trabajos acerca de su vida y obra, complementados por una «breve antología orgánica» del escritor, una cronología orientadora y una bibliografía *de* y *sobre* Azorín.)

Estudios sobre Azorín, Jaén, Instituto de Estudios Giennenses, 1975; suplemento extraordinario al núm. 78 del *Boletín del Instituto de Estudios Giennenses,* 150 páginas, con ilustraciones.

(Recoge el texto de las seis conferencias pronunciadas en el «Ciclo Azorín», homenaje del Instituto de Estudios Giennenses en el primer centenario del nacimiento del escritor; tratan de, por ejemplo, la sensibilidad y la crítica literaria azorinianas, el encanto poético de su prosa, algunos literatos giennenses conocidos y citados por Azorín, etc.)

Homenaje nacional al maestro Azorín, Alicante, Diputación Provincial, 1972, 130 páginas, con ilustraciones.

(Recoge el texto de las ocho conferencias pronunciadas a lo largo de 1967-1969 en el ciclo alicantino de homenaje al escritor recientemente fallecido. Por la novedad del asunto tratado o por las inéditas aportaciones al mismo destaco: Carmen Ortín Marco, *La lengua latina en Azorín* —junto a la posible huella lingüística, el conocimiento y uso de escritores latinos—, y Miguel Ortuño Palao, *Yecla y sus personajes en la obra de Azorín* —con identificación de algunos personajes de *La voluntad.)*

La ruta de don Quijote

DEDICATORIA

Al gran hidalgo don Silverio, residente en la noble, vieja, desmoronada y muy gloriosa villa de El Toboso; poeta autor de un soneto a Dulcinea; autor también de una sátira terrible contra los frailes; propietario de una colmena con una ventanita, por la que se ve trabajar a las abejas.—AZORÍN.

I

LA PARTIDA

Yo me acerco a la puerta y grito:

—¡Doña Isabel! ¡Doña Isabel!

Luego vuelvo a entrar en la estancia y me siento con un gesto de cansancio, de tristeza y de resignación. La vida, ¿es una repetición monótona, inexorable, de las mismas cosas con distintas apariencias? Yo estoy en mi cuarto; el cuarto es diminuto; tiene tres o cuatro pasos en cuadro; hay en él una mesa pequeña, un lavabo, una cómoda, una cama. Yo estoy sentado junto a un ancho balcón que da a un patio; el patio es blanco, limpio, silencioso. Y una luz suave, sedante, cae a través de unos tenues visillos y baña las blancas cuartillas que destacan sobre la mesa.

Yo vuelvo a acercarme a la puerta y torno a gritar:

—¡Doña Isabel! ¡Doña Isabel!

Y después me siento otra vez con el mismo gesto de cansancio, de tristeza y de resignación. Las cuartillas esperan inmaculadas los trazos de la pluma; en medio de la estancia, abierta, destaca una maleta. ¿Dónde iré yo, una vez más, como siempre, sin remedio ninguno, con mi maleta y mis cuartillas? Y oigo en el largo corredor unos pasos lentos, suaves. Y en la puerta aparece una anciana vestida de negro, limpia, pálida.

—Buenos días, Azorín.

—Buenos días, doña Isabel.

Y nos quedamos un momento en silencio. Yo no pienso en nada; yo tengo una profunda melancolía. La anciana mira, inmóvil, desde la puerta, la maleta que aparece en el centro del cuarto.

—¿Se marcha usted, Azorín?

Yo le contesto:

—Me marcho, doña Isabel.

Ella replica:

—¿Dónde se va usted, Azorín?

Yo le contesto:

—No lo sé, doña Isabel.

Y transcurre otro breve momento de un silencio denso, profundo. Y la anciana, que ha permanecido con la cabeza un poco baja, la mueve con un ligero movimiento, como quien acaba de comprender, y dice:

—¿Se irá usted a los pueblos[1], Azorín?

—Sí, sí, doña Isabel —le digo yo—: no tengo más remedio que marcharme a los pueblos.

Los pueblos son las ciudades y las pequeñas villas de la Mancha y de las estepas castellanas que yo amo; doña Isabel ya me conoce; sus miradas han ido a posarse en los libros y cuartillas que están sobre la mesa. Luego me ha dicho:

—Yo creo, Azorín, que esos libros y esos papeles que usted escribe le están a usted matando. Muchas veces —añade sonriendo— he tenido la tentación de quemarlos todos durante alguno de sus viajes.

Yo he sonreído también.

—¡Jesús, doña Isabel! —he exclamado, fingiendo un espanto cómico—. Usted no quiere creer que yo tengo que realizar una misión sobre la tierra.

---

[1] Los pueblos

Cursiva en *El Imparcial* (en adelante, EI) y en Biblioteca Renacimiento (en adelante, BR), como si con el empleo de ese tipo de letra quisiera Azorín destacar la importancia de la provincia —las pequeñas ciudades (como aquélla en que sucede la acción de la novela *Don Juan)*, villas e, incluso, aldeas— en su literatura más típica, y que tiene en *Los pueblos* (libro de 1905) un ejemplo relevante.

—¡Todo sea por Dios! —ha replicado ella, que no comprende nada de esta misión.

Y yo, entristecido, resignado con esta inquieta pluma que he de mover perdurablemente y con estas cuartillas que he de llenar hasta el fin de mis días, he contestado:

—Sí, todo sea por Dios, doña Isabel.

Después, ella junta sus manos con un ademán doloroso, arquea las cejas y suspira:

—¡Ay, señor!

Y ya este suspiro que yo he oído tantas veces, tantas veces en los viejos pueblos, en los caserones vetustos, a estas buenas ancianas vestidas de negro; ya este suspiro me trae una visión neta y profunda de la España castiza. ¿Qué recuerda doña Isabel con este suspiro? ¿Recuerda los días de su infancia y de su adolescencia, pasados en alguno de estos pueblos muertos, sombríos? ¿Recuerda las callejuelas estrechas, serpenteantes, desiertas, silenciosas? ¿Y las plazas anchas, con soportales ruinosos, por las que de tarde en tarde discurre un perro, o un vendedor se para y lanza un grito en el silencio? ¿Y las fuentes viejas, las fuentes de granito, las fuentes con un blasón enorme, con grandes letras, en que se lee el nombre de Carlos V o Carlos III? ¿Y las iglesias góticas, doradas, rojizas, con estas capillas de las Angustias, de los Dolores o del Santo Entierro, en que tanto nuestras madres han rezado y han suspirado? ¿Y las tiendecillas hondas, lóbregas, de merceros, de cereros, de talabarteros, de pañeros, con las mantas de vivos colores que flamean al aire? ¿Y los carpinteros —estos buenos amigos nuestros— con sus mazos que golpean sonoros? ¿Y las herrerías —las queridas herrerías— que llenan desde el alba al ocaso la pequeña y silenciosa ciudad con sus sones joviales y claros? ¿Y los huertos y cortinales que se extienden a la salida del pueblo, y por cuyas bardas asoma un oscuro laurel o un ciprés mudo, centenario, que ha visto indulgente nuestras travesuras de niño? ¿Y los lejanos majuelos, a los que hemos ido de merienda en las tardes de primavera, y que han sido plantados acaso por un anciano que tal vez no ha visto sus frutos primeros? ¿Y las vetustas alamedas de olmos, de álamos, de plátanos, por las que hemos paseado en nuestra adolescencia en compañía de Lolita, de Juana, de Carmencita o de Rosario? ¿Y los cacareos de los gallos que cantaban en las mañanas radiantes y templadas del invierno? ¿Y las campanadas lentas, sonoras, largas, del vetusto reloj que oíamos desde las anchas chimeneas en las noches de invierno?

Yo le digo al cabo a doña Isabel:

—Doña Isabel, es preciso partir.

Ella contesta:

—Sí, sí, Azorín; si es necesario, vaya usted.

Después yo me quedo solo, con mis cuartillas, sentado ante la mesa, junto al ancho balcón, por el que veo el patio silencioso, blanco. ¿Es displicencia? ¿Es tedio? ¿Es deseo de algo mejor que no sé lo que es, lo que yo siento? ¿No acabará nunca para nosotros, modestos periodistas, este sucederse perdurable de cosas y de cosas? ¿No volveremos a oír nosotros, con la misma sencillez de los primeros años, con la misma alegría, con el mismo sosiego, sin que el ansia enturbie nuestras emociones, sin que el recuerdo de la lucha nos amargue estos cacareos de los gallos amigos, estos sones de las herrerías alegres, estas campanadas del reloj venerable que entonces escuchábamos? ¿Nuestra vida no es como la del buen caballero errante que nació en uno de estos pueblos manchegos? Tal vez sí, nuestro vivir, como el de don Alonso Quijano, *el Bueno*[2], es un combate inacabable, sin premio, por ideales que no veremos realizados... Yo amo esa gran figura dolorosa que es nuestro ídolo y nuestro espejo. Yo voy —con mi maleta de cartón y mi capa— a recorrer brevemente los lugares que él recorriera.

Lector: perdóname; mi voluntad es serte grato; he escrito ya mucho en mi vida; veo con tristeza todavía que

---

[2] Don Alonso Quijano, *el Bueno*

Sin cursiva y sin coma en EI y BR.

he de escribir otro tanto. Lector: perdóname; yo soy un pobre hombre que, en los ratos de vanidad, quiere aparentar que sabe algo, pero que en realidad no sabe nada.

II

EN MARCHA

Estoy sentado en una vieja y amable casa, que se llama fonda de la Xantipa; acabo de llegar —¡descubríos!— al pueblo ilustre de Argamasilla de Alba. En la puerta de mi modesto mechinal, allá en Madrid, han resonado esta mañana unos discretos golpecitos; me he levantado súbitamente; he abierto el balcón; aún el cielo estaba negro y las estrellas titilaban sobre la ciudad dormida. Yo me he vestido. Yo he bajado a la calle; un coche pasaba con un ruido lento, rítmico, sonoro. Ésta es la hora en que las grandes urbes modernas nos muestran todo lo que tienen de extrañas, de anormales, tal vez de antihumanas. Las calles aparecen desiertas, mudas; parece que durante un momento, después de la agitación del trasnocheo, después de los afanes del día, las casas recogen su espíritu sobre sí mismas, y nos muestran en esta fugaz pausa, antes que llegue otra vez el inminente tráfago diario, toda la frialdad, la impasibilidad de sus fachadas, altas, simétricas, de sus hileras de balcones cerrados, de sus esquinazos y sus ángulos, que destacan en un cielo que comienza poco a poco, imperceptiblemente, a clarear en lo alto...

El coche que me lleva corre rápidamente hacia la lejana estación. Ya en el horizonte comienza a surgir un resplandor mate, opaco; las torrecillas metálicas de los cables surgen rígidas; la chimenea de una fábrica deja escapar un humo denso, negro, que va poniendo una tupida gasa ante la claridad que nace por oriente. Yo llego a la estación. ¿No sentís vosotros una simpatía profunda por las estaciones?[3]. Las estaciones, en las grandes ciudades, son lo que primero despierta por las mañanas a la vida inexorable y cotidiana. Y son primero los faroles de los mozos que pasan, cruzan, giran, tornan, marchan de un lado para otro, a ras de suelo, misteriosos, diligentes, sigilosos. Y son luego las carretillas y diablas, que comienzan a chirriar y gritar. Y después el estrépito sordo, lejano, de los coches que avanzan. Y luego la ola humana que va entrando por las anchas puertas y se desparrama, acá y allá, por la inmensa nave. Los redondos focos eléctricos, que han parpadeado toda la noche, acaban de ser apagados; suenan los silbatos agudos de las locomotoras; en el horizonte surgen los resplandores rojizos, nacarados, violetas, áureos de la aurora. Yo he contemplado este ir y venir, este trajín ruidoso, este despertar de la energía humana. El momento de sacar nuestro billete correspondiente es llegado ya. ¿Cómo he hecho yo una sólida, una sincera amistad —podéis creerlo— con este hombre sencillo, discreto y afable, que está a la par de mí, junto a la ventanilla?

—¿Va usted —le he preguntado yo— a Argamasilla de Alba?

—Sí —me ha contestado él—; yo voy a Cinco Casas.

Yo me he quedado un poco estupefacto. Si este hombre sencillo e ingenuo —he pensado— va a Cinco Casas, ¿cómo puede ir a Argamasilla? Y luego, en voz alta, he dicho cortésmente:

—Permítame usted: ¿Cómo es posible ir a Argamasilla y a Cinco Casas?

---

[3] [...] una simpatía profunda por las estaciones

En las págs. 338-341 del libro de Margaret C. Rand, *Castilla en Azorín* (Madrid, Revista de Occidente, 1956) se ofrece un significativo repertorio de textos azorinianos sobre las estaciones de ferrocarril y la autora concluye a la vista de ellos que «las grandes estaciones de las ciudades, las pequeñas de los pueblos, las estaciones de las antiguas ciudades provincianas, todas, en una palabra, ejercen sobre Azorín su peculiar hechizo. El clamor y el alboroto de las estaciones de las grandes urbes contrastan con la calma, lentitud y relativa paz de otras estaciones más pequeñas, pero en éstas los ruidos, proporcionalmente escasos, destacan con mayor fuerza en el silencio».

Él se ha quedado mirándome un momento en silencio; indudablemente, yo era un hombre colocado fuera de la realidad. Y, al fin, ha dicho:

—Argamasilla es Cinco Casas; pero todos le llamamos Cinco Casas...

Todos, ha dicho mi nuevo amigo. ¿Habéis oído bien? ¿Quiénes son *todos?*[4]. Vosotros sois ministros; ocupáis los gobiernos civiles de las provincias; estáis al frente de los grandes organismos burocráticos; redactáis los periódicos; escribís libros, pronunciáis discursos; pintáis cuadros, hacéis estatuas..., y un día os metéis en el tren, os sentáis en los duros bancos de un coche y descubrís —profundamente sorprendidos— que *todos* no sois vosotros (que no sabéis que Cinco Casas da lo mismo que Argamasilla), sino que «todos» es Juan, Ricardo, Pedro, Roque, Alberto, Luis, Antonio, Rafael, Tomás, es decir, el pequeño labriego, el carpintero, el herrero, el comerciante, el industrial, el artesano. Y ese día —no lo olvidéis— habéis aprendido una enorme, una eterna verdad...

Pero el tren va a partir ya en este momento; el coche está atestado. Yo veo una mujer que solloza y unos niños que lloran (porque van a embarcarse en un puerto mediterráneo para América); veo unos estudiantes que, en el departamento de al lado, cantan y gritan; veo en un rincón, acurrucado, junto a mí, un hombre diminuto y misterioso, embozado en una capita raída, con unos ojos que brillan —como en ciertas figuras de Goya— por

---

[4] ¿Quiénes son *todos?*

Este es un párrafo de clara significación noventayochista pues en el mismo se contraponen brevemente la España oficial —«vosotros sois ministros [...]— y la llamada España real —«Juan, Ricardo [...]» y sus oficios y dedicaciones—; con otras palabras, los que son o parecen importantes frente a aquellos que (aunque nombrados por sus nombres y aludidos por su trabajo) no son conocidos ni resultan ser importantes. Hay también en el párrafo una menos que insinuada oposición Ciudad/Campo (o Madrid/Provincia) que constituye aspecto complementario del enfrentamiento señalado, en el que cabe advertir como novedad la inclusión de periodistas, intelectuales y artistas junto a los políticos, con lo que el ámbito de la primera de ambas Españas se amplía.

debajo de las anchas y sombrosas alas de su chapeo. Mi nuevo amigo es más comunicativo que yo; pronto entre él y el pequeño viajero enigmático se entabla un vivo diálogo. Y lo primero que yo descubro es que este hombre hermético tiene frío; en cambio, mi compañero no lo tiene. ¿Comprendéis los antagonismos de la vida? El viajero embozado es andaluz, mi flamante amigo es castizo manchego.

—Yo —dice el andaluz— no he encontrado en Madrid el calor.

—Yo —replica el manchego— no he sentido el frío.

He aquí —pensáis vosotros, si sois un poco dados a las especulaciones filosóficas—, he aquí explicadas la diversidad y la oposición de todas las éticas, de todos los derechos, de todas las estéticas que hay sobre el planeta. Y luego os ponéis a mirar el paisaje; ya es día claro; ya una luz clara, limpia, diáfana, llena la inmensa llanura amarillenta; la campiña se extiende a lo lejos en suaves ondulaciones de terrenos y oteros. De cuando en cuando, se divisan las paredes blancas, refulgentes, de una casa; se ve perderse a lo lejos, rectos, inacabables, los caminos. Y una cruz tosca de piedra tal vez nos recuerda, en esta llanura solitaria, monótona, yerma, desesperante, el sitio de una muerte, de una tragedia. Y, lentamente, el tren arranca con un estrépito de hierros viejos. Y las estaciones van pasando, pasando; todo el paisaje que ahora vemos es igual que el paisaje pasado; todo el paisaje pasado es el mismo que el que contemplaremos dentro de un par de horas. Se perfilan en la lejanía radiante las lomas azules; acaso se columbra el chapitel negro de un campanario; una picaza revuela sobre los surcos rojizos o amarillentos; van lentas, lentas, por el llano inmenso, las yuntas que arrastran el arado. Y de pronto surge, en la línea del horizonte, un molino que mueve locamente sus cuatro aspas. Y luego pasamos por Alcázar; otros molinos vetustos, épicos, giran y giran. Ya va entrando la tarde; el cansancio ha ganado ya nuestros miembros. Pero una voz acaba de gritar:

—¡Argamasilla, dos minutos!

Una sacudida nerviosa nos conmueve. Hemos llegado al término de nuestro viaje. Yo contemplo en la estación una enorme diligencia —una de estas diligencias que encantan a los viajeros franceses—; junto a ella hay un coche, un coche venerable, un coche simpático, uno de estos coches de pueblo en que todos —indudablemente— hemos paseado siendo niños. Yo pregunto a un mozuelo que a quién pertenece este coche.

—Este coche —me dice él— es de la Pacheca.

Una dama fina, elegante, majestuosa, enlutada, sale de la estación y sube en este coche. Ya estamos en pleno ensueño. ¿No os ha desatado la fantasía la figura esbelta y silenciosa de esta dama, tan española, tan castiza, a quien tan española y castizamente se le acaba de llamar la Pacheca?

Ya vuestra imaginación corre desvariada[5]. Y cuando, tras largo caminar en la diligencia por la llanura, entráis en la villa ilustre; cuando os habéis aposentado en esta vieja y amable fonda de la Xantipa; cuando, ya cerca de la noche, habéis trazado rápidamente unas cuartillas, os levantáis de ante la mesa, sintiendo un feroz apetito, y decís a estas buenas mujeres que andan por estancias y pasillos:

—Señoras mías, escuchadme un momento. Yo les agradecería a vuestras mercedes un poco de salpicón, un poco de duelos y quebrantos[6], algo acaso de alguna olla modesta, en que haya «más vaca que carnero»[7].

---

[5] Vuestra imaginación corre desvariada

Sigue Azorín haciendo uso del plural enfático y apela ahora al poder de la imaginación pero es sólo apelación retórica como lo prueba pocas líneas después el desenlace del capítulo, tan literalmente quijotesco; tampoco se nos ha dicho (en las líneas precedentes) a dónde conduce el desvarío de la imaginación azoriniana que (como sabemos por sus novelas, cuentos y teatro) es ingrediente de escasa fuerza y presencia en su literatura.

[6] Duelos y quebrantos

Lorenzo Fraciosini, cuyo testimonio invocaba Azorín en 1904 (artículo *Un loco,* recogido posteriormente en el volumen *Fantasías y devaneos...),* en su *Vocabulario español e italiano* definía los duelos y que-

III

PSICOLOGÍA DE ARGAMASILLA

Penetremos en la sencilla estancia; acércate, lector; que la emoción no sacuda tus nervios; que tus pies no tropiecen con el astrágalo del umbral; que tus manos no dejen caer el bastón en que se apoyan; que tus ojos, bien abiertos, bien vigilantes, bien escudriñadores, recojan y envíen al cerebro todos los detalles, todos los matices, todos los más insignificantes gestos y los movimientos más ligeros. Don Alonso Quijano, *el Bueno,* está sentado ante una recia y oscura mesa de nogal; sus codos puntiagudos, huesudos, se apoyan con energía sobre el duro tablero; sus miradas ávidas se clavan en los blancos folios, llenos de letras pequeñitas, de un inmenso volumen. Y, de cuando en cuando, el busto amojamado de don Alonso se yergue; suspira hondamente el caballero; se remueve nervioso y afanoso en el ancho asiento. Y sus miradas, de las blancas hojas del libro pasan, súbitas y llameantes, a la vieja y mohosa espada que pende en la pared. Estamos, lector, en Argamasilla de Alba, y en 1570, en 1572 o en 1575. ¿Cómo es esta ciudad, hoy ilustre en la historia literaria española? ¿Quién habita en sus casas? ¿Cómo se llaman estos nobles hidalgos que arras-

---

brantos como «mangiare huova con carne seca»; muchas otras explicaciones se han dado tras ésta del siglo XVII y gran parte de ellas las ofrece y comenta Darío Achury Valenzuela (artículo en *Revista Nacional de Cultura,* Caracas, 1951: VII-X). Azorín puso fin por su cuenta a la debatida cuestión gastronómica afirmando: «Creo que *duelos y quebrantos,* en el siglo XVII, eran otro tópico, otro comodín» *(Duelos y quebrantos, ABC,* Madrid, 11-III-1952).

[7] Más vaca que carnero

Es expresión del *Quijote,* al comienzo del capítulo I primera parte: «una olla de algo más vaca que carnero». En EI (sin duda por errata) aparece «más berza que carnero».

tran sus tizonas por sus calles claras y largas? ¿Y por qué este buen don Alonso, que ahora hemos visto suspirando de anhelos inefables sobre sus libros malhadados, ha venido a este trance? ¿Qué hay en el ambiente de este pueblo que haya hecho posible el nacimiento y desarrollo, precisamente aquí, de esta extraña, amada y dolorosa figura? ¿De qué suerte Argamasilla de Alba, y no otra cualquiera villa manchega, ha podido ser la cuna[8] del más ilustre, del más grande de los caballeros andantes?

Todas las cosas son fatales, lógicas, necesarias; todas las cosas tienen su razón poderosa y profunda. Don Quijote de la Mancha había de ser forzosamente de Argamasilla de Alba. Oídlo bien; no lo olvidéis jamás: el pueblo entero de Argamasilla es lo que se llama un pueblo andante. Y yo os lo voy a explicar. ¿Cuándo vivió don Alonso? ¿No fue por esos mismos años que hemos expresado anteriormente? Cervantes escribía con lentitud; su imaginación era tarda en elaborar; salió a luz la obra en 1605; mas ya entonces el buen caballero retratado en sus páginas había fenecido, y ya, desde luego, hemos de suponer que el autor debió de comenzar a planear su libro mucho después de acontecer esta muerte deplorable, es decir, que podemos, sin temor, afirmar que don Alonso vivió a mediados del siglo XVI, acaso en 1560, tal vez en 1570, es posible que en 1575. Y bien: precisamente en este mismo año, nuestro rey don Felipe II requería de los vecinos de la villa de Argamasilla una información puntual, minuciosa, exacta, de la villa y sus aledaños. ¿Cómo desobedecer a este monarca? No era posible. «Yo —dice el escribano público del pueblo, Juan Martínez [de] Patiño— he notificado el deseo del rey a los alcal-

[8] Argamasilla de Alba [...] ha podido ser la cuna [...]

Parece, pese a la interrogación utilizada (una en la serie de seis que aparecen en este párrafo), que Azorín se inclina por la naturaleza argamasillesca del héroe cervantino, cuyo desvarío mental pudiera explicarse, deterministamente, como consecuencia en un individuo concreto de un ambiente general a cuya documentación se aplica Azorín en este capítulo.

des ordinarios y a los señores regidores.» Los alcaldes se llaman: Cristóbal de Mercadillo y Francisco García de Tembleque; los regidores llevan por nombre Andrés de Peroalonso y Alonso de la Osa. Y todos estos señores, alcaldes y regidores, se reúnen, conferencian, tornan a conferenciar, y a la postre nombran a personas calificadas de la villa para que redacten el informe pedido. Estas personas son Francisco López de Toledo, Luis de Córdoba, *el Viejo,* Andrés de Anaya. Yo quiero que os vayáis ya fijando en todas estas idas y venidas, en todos estos cabildeos, en toda esta inquietud administrativa que ya comienza a mostrarnos la psicología de Argamasilla. La comisión que ha de redactar el suspirado informe está nombrada ya; falta, sin embargo, el que a sus individuos se les notifique el nombramiento. El escribano señor Martínez de Patiño se pone su sombrero, coge sus papeles y se marcha a visitar a los señores nombrados; el señor López de Toledo y el señor Anaya dan su conformidad, tal vez después de algunas tenues excusas; mas el don Luis de Córdoba, *el Viejo,* hombre un poco escéptico, hombre que ha visto muchas cosas, «persona antigua» —dicen los informantes—, recibe con suma cortesía al escribano, sonríe, hace una leve pausa, y, después, mirando al señor De Patiño con una ligera mirada irónica, declara que él no puede aceptar el nombramiento, pues que él, don Luis de Córdoba, *el Viejo,* goza de una salud escasa, padece de ciertos lamentables achaques, y, además, a causa de ellos y como razón suprema, «no puede estar sentado un cuarto de hora». ¿Cómo un hombre así podía pertenecer al seno de una comisión? ¿Cómo podía permanecer don Luis de Córdoba, *el Viejo,* una hora, dos horas, tres horas, pegado a su asiento, oyendo informar o discutiendo datos y cifras? No es posible; el escribano Martínez de Patiño se retira un poco mohíno; don Luis de Córdoba, *el Viejo,* torna a sonreír al despedirle; los alcaldes nombran, en su lugar, a Diego de Oropesa...

Y la comisión, ya sin más trámites, ya sin más dilaciones, comienza a funcionar. Y por su informe —todavía inédito entre las *Relaciones topográficas*[9], ordenadas por Felipe II— conocemos a Argamasilla de Alba en tiempos de don Quijote. Y, ante todo, ¿quién la ha fundado? La fundó don Diego de Toledo, prior de San Juan; el paraje en que se estableciera el pueblo se llamaba Argamasilla; el fundador era de la casa de Alba. Y de ahí el nombre de Argamasilla de Alba.

Pero el pueblo —y aquí entramos en otra etapa de su psicología—, el pueblo, primitivamente, se hallaba establecido en el lugar llamado la Moraleja; ocurría esto en 1555. Mas una epidemia sobreviene; la población se dispersa; reina un momento de pavor y de incertidumbre, y, como en un tropel, los moradores corren hacia el cerro llamado de Boñigal, y allí van formando nuevamente el poblado. Y otra vez, al cabo de pocos años, cae sobre el flamante caserío otra epidemia, y de nuevo, atemorizados, enardecidos, exasperados, los habitantes huyen, corren, se dispersan y se van reuniendo, al fin, en el paraje que lleva el nombre de Argamasilla, y aquí fundan otra ciudad, que es la que ha llegado hasta nuestros días y es en la que ha nacido el gran manchego. ¿Veis ya cómo se ha creado, en pocos años, desde 1555 a 1575, la mentalidad de una nueva generación, entre la que estará don Alonso Quijano? ¿Veis cómo el pánico, la inquietud nerviosa, la exasperación, las angustias que han padecido las madres de estos nuevos hombres se han comunicado a ellos y han formado en la nueva ciudad un ambiente de hiperestesia sensitiva, de desasosiego, de anhelo perdurable por algo desconocido y lejano? ¿Acabáis de aprender cómo Argamasilla entero es un pueblo andante y cómo aquí había de nacer el mayor de los caba-

---

[9] *Relaciones topográficas...*

Las *Relaciones topográficas de los pueblos de España,* mandadas hacer por Felipe II, son un importante repertorio noticioso que Azorín cita y utiliza con alguna frecuencia, pues «no hay nada más interesante e instructivo para el político, para el sociólogo y para el artista que su lectura. La vida monótona y prosaica de los pueblos se descubre en estas páginas ingenuas». Sólo en parte han sido publicadas en nuestros días; existe una especie de antología de las *Relaciones...,* ordenada por Juan Ortega Rubio (1918).

lleros andantes? Añadid ahora que, además de esta epidemia de que hemos hablado, caen también sobre el pueblo plagas de langostas que arrasan las cosechas y suman nuevas incertidumbres y nuevos dolores a los que ya experimentan. Y como si todo esto fuera poco para determinar y crear una psicología especialísima, tened en cuenta que el nuevo pueblo, por su situación, por su topografía, ha de favorecer este estado extraordinario, único, de morbosidad y exasperación. «Éste —dicen los vecinos informantes—, es pueblo enfermo, porque cerca de esta villa se suele derramar la madre del río Guadiana, y porque pasa por esta villa y hace remanso el agua, y de causa del dicho remanso y detenimiento del agua salen muchos vapores que acuden al pueblo con el aire.» Y ya no necesitamos más para que nuestra visión quede completa; mas si aún continuamos escudriñando en el informe, aún recogeremos en él pormenores, detalles, hechos, al parecer insignificantes, que vendrán a ser la contraprueba de lo que acabamos de exponer.

Argamasilla es un pueblo enfermizo, fundado por una generación presa de una hiperestesia nerviosa. ¿Quiénes son los sucesores de esta generación? ¿Qué es lo que hacen? Los informes citados nos dan una relación de las personas más notables que viven en la villa; son éstas: don Rodrigo Pacheco, dos hijos de don Pedro Prieto de Bárcena, el señor Rubián, los sobrinos de Pacheco, los hermanos Baldolivias, el señor Cepeda y don Gonzalo Patiño. Y de todos éstos, los informantes nos advierten al pasar que los hijos de don Pedro Prieto de Bárcena han pleiteado a favor de su ejecutoria de hidalguía; que el señor Cepeda también pleitea; que el señor Rubián litiga asimismo con la villa; que los hermanos Baldolivias no se escapan tampoco de mantener sus contiendas, y que, finalmente, los sobrinos de Pacheco se hallan puestos en el libro de los pecheros, sin duda porque, a pesar de todas las sutilezas y supercherías, «no han podido probar su filiación...»

Ésta es la villa de Argamasilla de Alba, hoy insigne entre todas las de la Mancha. ¿No es natural que todas estas causas y concausas de locura, de exasperación, que flotan en el ambiente, hayan convergido en un momento supremo de la historia y hayan creado la figura de este sin par hidalgo que ahora, en este punto, nosotros, acercándonos con cautela, vemos leyendo de rato en rato[10] y lanzando súbitas y relampagueantes miradas hacia la vieja espada llena de herrumbre[11]?

IV

EL AMBIENTE DE ARGAMASILLA

¿Cuánto tiempo hace que estoy en Argamasilla de Alba? ¿Dos, tres, cuatro, seis años? He perdido la noción del tiempo y la del espacio; ya no se me ocurre nada ni sé escribir. Por la mañana, apenas comienza a clarear, una bandada de gorriones salta, corre, va, viene, trina, chillando furiosamente en el ancho corral; un gallo, junto a la ventanita de mi estancia, canta con metálicos cacareos. Yo he de levantarme. Ya, fuera, en la cocina, se oye el ruido de las tenazas que caen sobre la losa, y el rastrear de las trébedes, y la crepitación de los sarmientos que principian a arder. La casa comienza su vida cotidiana: la Xantipa marcha de un lado para otro apoyada en su pequeño bastón; Mercedes sacude los muebles; Gabriel va a coger sus tijeras pesadas de alfayate, y con ellas se dispone a cortar los recios paños. Yo abro la ventanita; la ventanita no tiene cristales, sino un bastidor de

---

[10] De rato en rato y lanzando [...]

En El se lee: «leyendo absorto en los anchos infolios y lanzando de rato en rato» que es mejor lección, de la que desaparecieron cinco palabras en las ediciones en volumen.

[11] Llena de herrumbre

En El, mohosa.

lienzo blanco; a través de este lienzo entra una claridad mate en el cuarto. El cuarto es grande, alargado; hay en él una cama, cuatro sillas y una mesa de pino; las paredes aparecen blanqueadas con cal, y tienen un ancho zócalo ceniciento; el piso está cubierto por una recia estera de esparto blanco. Yo salgo a la cocina; la cocina está enfrente de mi cuarto y es de ancha campana; en una de las paredes laterales, cuelgan los cazos, las sartenes, las cazuelas; las llamas de la fogata ascienden en el hogar y lamen la piedra trashoguera.

—Buenos días, señora Xantipa; buenos días, Mercedes.

Y me siento a la lumbre; el gallo —mi amigo— continúa cantando; un gato —amigo mío también— se acaricia en mis pantalones. Ya las campanas de la iglesia suenan a la misa mayor; el día está claro, radiante, es preciso salir a hacer lo que todo buen español hace desde siglos y siglos: tomar el sol. Desde la cocina de esta casa se pasa a un patizuelo empedrado con pequeños cantos; la mitad de este patio está cubierta por una galería, la otra mitad se encuentra libre. Y de aquí, continuando en nuestra marcha, encontramos un zaguán diminuto; luego una puerta, después otro zaguán; al fin, la salida a la calle. El piso está en altos y bajos, desnivelado, sin pavimentar; las paredes todas son blancas, con zócalos grises o azules. Y hay en toda la casa —en las puertas, en los techos, en los rincones— este aire de vetustez, de inmovilidad, de reposo profundo, de resignación secular —tan castizos, tan españoles— que se percibe en todas las casas manchegas, y que tanto contrasta con la veleidad, la movilidad y el estruendo de las mansiones levantinas.

Y luego, cuando salimos a la calle, vemos que las anchas y luminosas vías están en perfecta concordancia con los interiores. No son éstos los pueblecitos moriscos de Levante, todo recogidos, todo íntimos; son los poblados anchurosos, libres, espaciados, de la vieja gente castellana. Aquí cada imaginación parece que ha de marchar por su camino, independiente, opuesta a toda traba y ligamen; no hay un ambiente que una a todos los espíritus como en un haz invisible; las casas son bajas y largas; de trecho en trecho, un inconmensurable portalón de un patio rompe, de pronto, lo que pudiéramos llamar la solidaridad espiritual de las casas; allá, al final de la calle, la llanura se columbra inmensa, infinita, y encima de nosotros, a toda hora limpia, como atrayendo todos nuestros anhelos, se abre, también inmensa, infinita, la bóveda radiante. ¿No es éste el medio en que han nacido y se han desarrollado las grandes voluntades, fuertes, poderosas, tremendas, pero solitarias, anárquicas, de aventureros, navegantes, conquistadores? ¿Cabrá aquí, en estos pueblos, el concierto íntimo, tácito, de voluntades y de inteligencias, que hace la prosperidad sólida y duradera de una nación? Yo voy recorriendo las calles de este pueblo. Yo contemplo las casas bajas, anchas y blancas. De tarde en tarde, por las anchas vías cruza un labriego. No hay ni ajetreos, ni movimientos, ni estrépitos. Argamasilla, en 1575, contaba con 700 vecinos; en 1905, cuenta con 850. Argamasilla, en 1575, tenía 600 casas; en 1905 tiene 711. En tres siglos es bien poco lo que se ha adelantado. «Desde 1900 hasta la fecha —me dicen— no se han construido más allá de ocho casas»[12]. Todo está en profundo reposo. El sol reverbera en las blancas paredes; las puertas están cerradas; las ventanas están cerradas. Pasa, de rato en rato, ligero, indolente, un galgo negro, o un galgo gris, o un galgo rojo. Y la llanura, en la lejanía, allá dentro, en la línea remota del horizonte, se confunde, imperceptible, con la inmensa planicie azul del cielo. Y el viejo reloj lanza despacio, grave, de hora en hora, sus campanadas. ¿Qué hacen en estos momentos don Juan, don Pedro, don Francisco, don Luis, don Antonio, don Alejandro?

---

[12] En O.C. (tomo II, pág. 256, edición 1947) hay punto y aparte entre «casas» y «Todo» lo que (a mi ver) se explica por la necesidad de marcar tipográficamente una cierta diferencia de tono existente entre dos secciones del párrafo: la enumeración erudita (que haría entonces de cierre) y la descripción (que abriría, y constituiría, nuevo párrafo). Pero tanto EI como BR o las Obras Selectas (pág. 355a) ofrecen un solo párrafo.

Estas campanadas que el reloj acaba de lanzar marcan el mediodía. Yo regreso a la casa.

—¿Qué tal? ¿Cómo van esos duelos y quebrantos, señora Xantipa? —pregunto yo.

La mesa está ya puesta; Gabriel ha dejado por un instante en reposo sus pesadas tijeras; Mercedes coloca sobre el blanco mantel una fuente humeante. Y yo yanto prosaicamente —como todos hacen— de esta sopa rojiza, azafranada. Y luego de otros varios manjares, todos sencillos, todos modernos. Y después de comer hay que ir un momento al Casino[13]. El Casino está en la misma plaza; traspasáis los umbrales de un vetusto caserón; ascendéis por una escalerilla empinada; torcéis después a la derecha y entráis al cabo en un salón ancho, con las paredes pintadas de azul claro y el piso de madera. En este ancho salón hay cuatro o seis personas, silenciosas, inmóviles, sentadas en torno de una estufa.

—¿No le habían hecho a usted ofrecimientos de comprarle el vino a seis reales? —pregunta don Juan, tras una larga pausa.

—No —dice don Antonio—; hasta ahora a mí no me han dicho palabra.

Pasan seis, ocho, diez minutos en silencio.

—¿Se marcha usted esta tarde al campo? —le dice don Tomás a don Luis.

—Sí —contesta don Luis—, quiero estar allá hasta el sábado próximo.

Fuera, la plaza está solitaria, desierta; se oye un gri-

---

[13] Casino

El casino de los pueblos españoles, tan visitado por Azorín en sus andanzas y tan frecuentemente recordado en sus libros —«En todos los pueblos [...], por las noches (y también por las mañanas y por las tardes) hay que ir al Casino» (artículo «El buen juez», de *Los pueblos);* «los señores del pueblo se reúnen en un desmantelado Casino; hay en él una estufa, unos quinqués de petróleo con los tubos ahumados y unas mesas de mármol. Allí se habla de política y de las cosechas; a las nueve y media o diez de la noche, el conserje apaga los quinqués y se va a su casa» (artículo «Una ciudad castellana», de *España)—,* constituye en la provincia azoriniana —en su imagen de ella— un espacio o ámbito costumbrista en el que se deja sentir el paso del tiempo y que, por otra parte, es presentado con una suave, no mortificante ironía.

to lejano; un viento ligero lleva unas nubes blancas por el cielo. Y salimos de este Casino: otra vez nos encaminamos por las anchas calles; en los aledaños del pueblo, sobre las techumbres bajas y pardas, destaca el ramaje negro, desnudo, de los olmos que bordean el río. Los minutos transcurren lentos; pasa ligero, indolente, el galgo gris, o el galgo negro, o el galgo rojo. ¿Qué vamos a hacer durante todas las horas eternas de esta tarde? Las puertas están cerradas; las ventanas están cerradas. Y de nuevo el llano se ofrece a nuestros ojos, inmenso, desmantelado, infinito, en la lejanía.

Cuando llega el crepúsculo suenan las campanadas graves y las campanadas agudas del avemaría; el cielo se ensombrece; brillan de trecho en trecho unas mortecinas lamparillas eléctricas. Ésta es la hora en que se oyen en la plaza unos gritos de muchachos que juegan; yuntas de mulas salen de los anchos corrales y son llevadas junto al río; se esparce por el aire un olor de sarmientos quemados. Y de nuevo, después de esta rápida tregua, comienza el silencio más profundo, más denso, que ha de pesar durante la noche sobre el pueblo.

Yo vuelvo a casa.

—¿Qué tal, señora Xantipa? ¿Cómo van esos duelos y quebrantos? ¿Cómo está el salpicón?

Yo ceno junto al fuego, en una mesilla de pino; mi amigo el gallo está ya reposando; el gato —mi otro amigo— se acaricia ronroneando en mis pantalones.

—¡Ay, Jesús! —exclama la Xantipa.

Gabriel calla; Mercedes calla; las llamas de la fogata se agitan y bailan en silencio. He acabado ya de cenar; será necesario el volver al Casino. Cuatro, seis, ocho personas están sentadas en torno de la estufa.

—¿Cree usted que el vino, este año, se venderá mejor que el año pasado? —pregunta don Luis.

—Yo no sé —contesta don Rafael—; es posible que no.

Transcurren seis, ocho, diez minutos en silencio.

—Si continúa este tiempo frío —dice don Tomás— se van a helar las viñas.

—Eso es lo que yo temo —replica don Francisco.

El reloj lanza nueve campanadas sonoras. ¿Son realmente las nueve? ¿No son las once, las doce? ¿No marcha con una lentitud estupenda este reloj? Las lamparillas del salón alumbran débilmente el ancho ámbito; las figuras permanecen inmóviles, silenciosas, en la penumbra. Hay algo en estos ambientes de los casinos de pueblo, a estas horas primeras de la noche, que os produce como una sensación de sopor y de irrealidad. En el pueblo está todo en reposo; las calles se hallan oscuras, desiertas; las casas han cesado de irradiar su tenue vitalidad diurna. Y parece que todo este silencio, que todo este reposo, que toda esta estaticidad formidable se concentra, en estos momentos, en el salón del Casino, y pesa sobre las figuras fantásticas, quiméricas, que vienen y se tornan a marchar lentas y mudas.

Yo salgo a la calle; las estrellas parpadean en lo alto, misteriosas; se oye el aullido largo de un perro; un mozo canta una canción que semeja un alarido y una súplica. Decidme, ¿no es éste el medio en que florecen las voluntades solitarias, libres, llenas de ideal —como la de Alonso Quijano, *el Bueno—;* pero ensimismadas, soñadoras, incapaces, en definitiva, de concentrarse en los prosaicos, vulgares, pacientes pactos que la marcha de los pueblos exige?

V

LOS ACADÉMICOS DE ARGAMASILLA

«... Con tutta quella
gente que si lava in Guadiana...»
ARIOSTO, *Orlando furioso,* canto XIV.

Yo no he conocido jamás hombres más discretos, más amables, más sencillos que estos buenos hidalgos don Cándido, don Luis, don Francisco, don Juan Alfonso y don Carlos. Cervantes, al final de la primera parte de su libro, habla de los académicos de Argamasilla[14]; don Cándido, don Luis, don Francisco, don Juan Alfonso y don Carlos pueden ser considerados como los actuales académicos de Argamasilla. Son las diez de la mañana; yo me voy a casa de don Cándido. Don Cándido es clérigo; don Cándido tiene una casa amplia, clara, nueva y limpia; en el centro hay un patio con un zócalo de relucientes azulejos; todo en torno corre una galería. Y cuando he subido por unas escaleras fregadas y refregadas por la aljofifa, yo entro en el comedor.

—Buenos días, don Cándido.

—Buenos los dé Dios[15], señor Azorín.

Cuatro balcones dejan entrar raudales de sol tibio, esplendente, confortador; en las paredes cuelgan copias de cuadros de Velázquez y soberbios platos antiguos; un fornido aparador de roble destaca en un testero; enfrente aparece una chimenea de mármol negro, en que las llamas se mueven, rojas; encima de ella se ve un claro espejo encuadrado en un rico marco de patinosa talla; ante el espejo, esbelta, primorosa, se yergue una estatuilla de la Virgen. Y en el suelo, extendida por todo el pavimento, se muestra una antigua y maravillosa alfombra gualda, de un gualda intenso, con intensas flores bermejas, con intensos ramajes verdes.

---

[14] Los académicos de Argamasilla

Son los continuadores en la época del viaje de Azorín de aquellos fingidos por Cervantes como autores de los poemas (seis en total) que cierran la primera parte del *Quijote;* si fue «burlesca [según Luis Andrés Murillo] la suposición [cervantina] de haber una Academia en Argamasilla al estilo de los grupos literarios en Madrid», no es invención de Azorín la existencia de estos discretos varones que le acompañan en Argamasilla puesto que los llamados don Cándido y don Luis existieron realmente: eran hermanos, de apellido Montalbán y el primero de ellos, sacerdote (lo afirma Francisco Villalgordo Montalbán, «Cómo se hizo el famoso "Quijote de Argamasilla"», ABC, Madrid, 9-III-1979).

[15] Buenos los dé Dios

En El, «Buenos nos los dé Dios.» Azorín eliminó en las ediciones en volumen esa repetición de sonidos, no compatible con su cuidadoso estilismo.

—Señor Azorín —me dice el discretísimo don Cándido—, acérquese usted al fuego.

Yo me acerco al fuego.

—Señor Azorín, ¿ha visto usted ya las antigüedades de nuestro pueblo?

Yo he visto ya las antigüedades de Argamasilla de Alba.

—Don Cándido —me atrevo yo a decir—, he estado esta mañana en la casa que sirvió de prisión a Cervantes[16]; pero...

Al llegar aquí me detengo un momento; don Cándido —este clérigo tan limpio, tan afable— me mira con una vaga ansia. Yo continúo:

—Pero respecto de esta prisión, dicen ahora los eruditos que...

Otra vez me vuelvo a detener en una breve pausa; las miradas de don Cándido son más ansiosas, más angustiosas. Yo prosigo:

—Dicen ahora los eruditos que no estuvo encerrado en ella Cervantes.

---

[16] La casa que sirvió de prisión a Cervantes

En Argamasilla de Alba corrió (y era bien acogida) la tradición o leyenda de que Cervantes había sido encarcelado en una casa de este lugar —la después famosa Cueva de Medrano, donde escribiría el *Quijote—;* no consta otra prisión del escritor que la de Sevilla (1597 y 1602) pero Clemencín y J. E. Hartzenbusch no dudaron en prestar crédito a la leyenda (hoy sólo con valor de curiosidad local), y este último, ayudado por el editor-impresor Manuel Rivadeneyra y por don Manuel Montalbán, vecino de Argamasilla, montó una imprenta en la Cueva de Medrano y sacó en 1863 una muy rara y estimada edición del *Quijote.*

Por cierto que en pleno viaje de Azorín por la Mancha pero sobrepasada ya Argamasilla, se declaró un incendio en la Cueva de Medrano, hecho del que informa en *Heraldo de Madrid* del 21-III-1905 su corresponsal Coronado: «Acaba de declararse un violento incendio en la casa donde estuvo preso Miguel de Cervantes Saavedra, o sea en la llamada de Medrano, donde, según la tradición, pasó aquél grandes trabajos durante largo tiempo y escribió todo o parte de su universalmente famoso *Don Quijote de la Mancha.* / El público, emocionado, acude presuroso y realiza esfuerzos para salvar lo que se pueda de este edificio, que para España, y para nosotros en primer término, constituye un timbre de gloria y de orgullo legítimo. / El fuego cerca el edificio, amenazando destruirlo. / Aún no ha llegado al sótano que ocupó Cervantes, y al que se refirió él mismo cuando dijo que su libro había sido engendrado en un triste encierro. / Las pérdidas materiales son ya considerables. / Desconfíase de que se salve nada.»

Yo no sé con entera certeza si dicen tal cosa los eruditos; mas el rostro de don Cándido se llena de sorpresa, de asombro, de estupefacción.

—¡Jesús! ¡Jesús! —exclama don Cándido, llevándose las manos a la cabeza, escandalizado—. ¡No diga usted tales cosas, señor Azorín! ¡Señor, señor, que tenga uno de oír unas cosas tan enormes! Pero, ¿qué más, señor Azorín? ¡Si se ha dicho de Cervantes que era gallego! ¿Ha oído usted nunca algo más estupendo?

Yo no he oído, en efecto, nada más estupendo; así se lo confieso lealmente a don Cándido. Pero si estoy dispuesto a creer firmemente que Cervantes era manchego y estuvo encerrado en Argamasilla, en cambio —perdonadme mi incredulidad— me resisto a secundar la idea de que don Quijote vivió en este lugar manchego. Y entonces, cuando he acabado de exponer tímidamente, con toda cortesía, esta proposición, don Cándido me mira con ojos de un mayor espanto, de una más profunda estupefacción, y grita, extendiendo hacia mí los brazos:

—¡No, no, por Dios! ¡No, no, señor Azorín! ¡Llévese usted a Cervantes; lléveselo usted en buena hora, pero déjenos usted a don Quijote!

Don Cándido se ha levantado a impulsos de su emoción; yo pienso que he cometido una indiscreción enorme.

—Ya sé, señor Azorín, de dónde viene todo eso —dice don Cándido—, ya sé que hay ahora una corriente en contra de Argamasilla; pero no se me oculta que estas ideas arrancan de cuando Cánovas iba al Tomelloso y allí le llenaban la cabeza de cosas en perjuicio de nosotros. ¿Usted no conoce la enemiga que los del Tomelloso tienen a Argamasilla? Pues yo digo que don Quijote era de aquí; don Quijote era el propio don Rodrigo de Pacheco[17], el que está retratado en nuestra iglesia, y

[17] Don Rodrigo de Pacheco

Entre los modelos vivos señalados para el héroe de Cervantes cuenta don Rodrigo de Pacheco, marqués de Torre Pacheco y vecino de Argamasilla de Alba, que en 1601 adoleció gravemente del cerebro y fue

no podrá nadie, nadie, por mucha que sea su ciencia, destruir esta tradición en que todos han creído y que se ha mantenido siempre tan fuerte y tan constante...

¿Qué voy a decirle yo a don Cándido, a este buen clérigo, modelo de afabilidad y de discreción, que vive en esta casa tan confortable, que viste estos hábitos tan limpios? Ya creo yo también a pies juntillas que don Alonso Quijano, *el Bueno,* era de este insigne pueblo manchego.

—Señor Azorín —me dice don Cándido, sonriendo—, ¿quiere usted que vayamos un momento a nuestra academia?

—Vamos, don Cándido —contesto yo—, a esa academia.

La academia es la rebotica del señor licenciado don Carlos Gómez; ya en el camino hemos encontrado a don Luis. Vosotros es posible que no conozcáis a don Luis de Montalbán. Don Luis es el tipo castizo, inconfundible, del viejo hidalgo castellano. Don Luis es menudo, nervioso, movible, flexible, acerado, aristocrático; hay en él una suprema, una instintiva distinción de gestos y de maneras; sus ojos llamean, relampaguean, y, puesta en su cuello una ancha y tiesa gola, don Luis sería uno de estos finos, espirituales caballeros que el Greco ha retratado en su cuadro famoso del *Entierro*[18].

—Luis —le dice su hermano, don Cándido—, ¿sabes lo que dice el señor Azorín? Que don Quijote no ha vivido nunca en Argamasilla.

---

curado por intercesión de Nuestra Señora de Illescas, según se dice al pie de un cuadro (restaurado hace unos años) de autor desconocido (acaso de la escuela del Greco) que representa al caballero (donante del cuadro, conservado en la iglesia parroquial de Argamasilla) y a su esposa.

[18] Cuadro famoso del *Entierro*

Se trata del muy conocido cuadro titulado *Entierro del conde de Orgaz,* pintado por el Greco. (Acaso deba recordarse que la revalorización de este pintor fue iniciada por el grupo modernista de Santiago Rusiñol y apoyada por los jóvenes noventayochistas, tal como lo haría Azorín en 1913 al enumerar las características de su generación, que «da aire al fervor por el Greco [...], y publica, dedicado al pintor cretense, el número único de un periódico: *Mercurio*».)

Don Luis me mira un brevísimo momento en silencio; luego se inclina un poco y dice, tratando de reprimir con una exquisita cortesía su sorpresa:

—Señor Azorín, yo respeto todas las opiniones; pero sentiría en el alma, sentiría profundamente que a Argamasilla se le quisiera arrebatar esta gloria. Eso —añade, sonriendo con una sonrisa afable— creo que es una broma de usted.

—Efectivamente —confieso yo con entera sinceridad—, efectivamente, esto no pasa de ser una broma mía sin importancia.

Y ponemos nuestras plantas en la botica; después pasamos a una pequeña estancia que detrás de ella se abre. Aquí, sentados, están don Carlos, don Francisco, don Juan Alfonso. Los tarros blancos aparecen en las estanterías; entra un sol vivo y confortador por la ancha reja; un olor de éter, de alcohol, de cloroformo, flota en el ambiente. Cerca, a través de los cristales, se divisa el río, el río verde, el río claro, el río tranquilo, que se detiene en un ancho remanso junto a un puente.

—Señores —dice don Luis cuando ya hemos entrado en una charla amistosa, sosegada, llena de una honesta ironía—, señores, ¿a que no adivinan ustedes lo que ha dicho el señor Azorín?

Yo miro a don Luis, sonriendo; todas las miradas se clavan, llenas de interés, en mi persona.

—El señor Azorín —prosigue don Luis, al mismo tiempo que me mira como pidiéndome perdón por su discreta chanza—, el señor Azorín decía que don Quijote no ha existido nunca en Argamasilla, es decir, que Cervantes no ha tomado su tipo de don Quijote de nuestro convecino don Rodrigo de Pacheco.

—¡Caramba! —exclama don Juan Alfonso.

—¡Hombre, hombre! —dice don Francisco.

—¡Demonio! —grita vivamente don Carlos, echándose hacia atrás su gorra de visera.

Y yo permanezco un instante silencioso, sin saber qué decir ni cómo justificar mi audacia; mas don Luis añade al momento que yo estoy ya convencido de que don Quijote vivió en Argamasilla, y todos entonces me miran con una profunda gratitud, con un intenso reconocimiento. Y todos charlamos como viejos amigos. ¿No os agradaría esto a vosotros? Don Carlos lee y relee a todas horas el *Quijote;* don Juan Alfonso —tan parco, tan mesurado, de tan sólido juicio— ha escudriñado, en busca de datos sobre Cervantes, los más diminutos papeles del archivo; don Luis cita, con menudos detalles, los más insignificantes parajes que recorriera el caballero insigne. Y don Cándido y don Francisco traen a cada momento a colación largos párrafos del gran libro. Un hálito de arte, de patriotismo, se cierne en esta clara estancia, en esta hora, entre estas viejas figuras de hidalgos castellanos. Fuera, allí cerca, a dos pasos de la ventana, a flor de tierra, el noble Guadiana se desliza, manso, callado, transparente...

VI

SILUETAS DE ARGAMASILLA[19]

LA XANTIPA[20]

La Xantipa tiene unos ojos grandes, unos labios abultados y una barbilla aguda, puntiaguda; la Xantipa va vestida de negro y se apoya, toda encorvada, en un diminuto bastón blanco con una enorme vuelta. La casa

---

[19] Siluetas de Argamasilla

Por esta época diríase que Azorín gustaba de componer «siluetas» o breves estampas impresionistas en las que, mediante unos cuantos rasgos externos y anímicos, queda presentada una persona real, momentáneamente convertida en personaje literario; ocurre así con las series *Siluetas de Urberuaga* (tres estampas, publicadas en el diario madrileño *España,* 30-VII-1904) y *Siluetas de Zaldívar* (cuatro estampas, en *ídem,* 1-VIII-1904), recogidas posteriormente en *Los pueblos.*

[20] La Xantipa

Era Jantipa en la sexta inserción en EI y, también, cuando aparece mencionada en otras anteriores y posteriores inserciones; es en las ediciones en volumen donde aparece la X.

es de techos bajitos, de puertas chiquitas y de estancias hondas. La Xantipa camina de una a otra estancia, de uno en otro patizuelo, lentamente, arrastrando los pies, agachada sobre su palo. La Xantipa, de cuando en cuando, se detiene un momento en el zaguán, en la cocina o en una sala; entonces ella pone su pequeño bastón arrimado a la pared, junta sus manos pálidas, levanta los ojos al cielo y dice, dando un profundo suspiro:

—¡Ay, Jesús!

Y entonces, si vosotros os halláis allí cerca, si vosotros habéis hablado con ella dos o tres veces, ella os cuenta que tiene muchas penas.

—Señora Xantipa —le decís vosotros afectuosamente—, ¿qué penas son ésas que usted tiene?

Y en este punto ella —después de suspirar otra vez— comienza a relataros su historia. Se trata de una vieja escritura: de un huerto, de una bodega, de un testamento. Vosotros no veis muy claro en este dédalo terrible.

—Yo fui un día —dice la Xantipa— a casa del notario, ¿comprende usted? Y el notario me dijo: «Usted, ese huerto que tenía ya no lo tiene.» Yo no quería creerlo, pero él me enseñó la escritura de venta que yo había hecho; pero yo no había hecho ninguna escritura. ¿Comprende usted?

Yo, a pesar de que, en realidad, no comprendo nada, digo que lo comprendo todo. La Xantipa vuelve a levantar los ojos al cielo y suspira otra vez. Ella quería vender este huerto para pagar los gastos del entierro de su marido y los derechos de la testamentaría. Estamos ante la lumbre del hogar; Gabriel extiende sus manos hacia el fuego, en silencio; Mercedes mira el ondular de las llamas con un vago estupor.

—Y entonces —dice la Xantipa—, como no pude vender este huerto, tuve que vender la casa de la esquina, que era mía y que estaba tasada...

Se hace una ligera pausa.

—¿En cuánto estaba tasada, Gabriel? —pregunta la Xantipa.

—En ocho mil pesetas —contesta Gabriel.

—Sí, sí, en ocho mil pesetas —dice la Xantipa—. Y después tuve que vender también un molino que estaba tasado...

Se hace otra ligera pausa.

—¿En cuánto estaba tasado, Gabriel? —torna a preguntar la Xantipa.

—En seis mil pesetas —replica Gabriel.

—Sí, sí, en seis mil pesetas —dice la Xantipa. Y luego, cuando ha hablado durante un largo rato, contándome otra vez todo el intrincado enredijo de la escritura, de los testigos, del notario, se levanta; se apoya en su palo; se marcha pasito a pasito, encorvada, rastreante; abre una puerta; revuelve en un cajón; saca de él un recio cuaderno de papel timbrado; torna a salir del cuarto; mira si la puerta de la calle está bien cerrada; entra otra vez en la cocina y pone, al fin, en mis manos, con una profunda solemnidad, con un profundo misterio, el abultado cartapacio. Yo lo cojo en silencio, sin saber lo que hacer; ella me mira emocionada; Gabriel me mira también; Mercedes me mira también.

—Yo quiero —me dice la Xantipa— que usted lea la escritura.

Yo doblo la primera hoja; mis ojos pasan sobre los negros trazos. Y yo no leo, no me doy cuenta de lo que esta prosa curialesca expresa; pero siento que pasa por el aire, vagamente, en este momento, en esta casa, entre estas figuras vestidas de negro que miran ansiosamente a un desconocido que puede traerles la esperanza, siento que pasa un soplo de lo Trágico[21].

---

[21] Lo Trágico

Con inicial minúscula este adjetivo en EI. ¿Errata? ¿Deseo, surgido posteriormente (ediciones en volumen), de reforzar con la mayúscula la significación y poderío del aludido «soplo»?

Argamasilla.—Teresa Panza y Sanchica Panza.

JUANA MARÍA

Juana María ha venido y se ha sentado un momento en la cocina; Juana María es delgada, esbelta; sus ojos son azules; su cara es ovalada, sus labios son rojos. ¿Es manchega Juana María? ¿Es de Argamasilla? ¿Es del Tomelloso? ¿Es de Puerto Lápiche? ¿Es de Herencia? Juana María es manchega castiza. Y cuando una mujer es manchega castiza, como Juana María, tiene el espíritu más fino, más sutil, más discreto, más delicado que una mujer puede tener. Vosotros entráis en un salón; dais la mano a estas o a las otras damas; habláis con ellas; observáis sus gestos, examináis sus movimientos; veis cómo se sientan, cómo se levantan, cómo abren una puerta, cómo tocan un mueble. Y cuando os despedís de todas estas damas, cuando dejáis este salón, os percatáis de que tal vez, a pesar de toda la afabilidad, de toda la discreción, de toda la elegancia, no queda en vuestros espíritus, como recuerdo, nada de definitivo, de fuerte y de castizo. Y pasa el tiempo; otro día os halláis en una posada, en un cortijo, en una callejuela de una vieja ciudad. Entonces —si estáis en la posada— observáis que en un rincón, casi sumida en la penumbra, se encuentra sentada una muchacha. Vosotros cogéis las tenazas y vais tizoneando; junto al fuego hay, asimismo, dos, o cuatro, o seis comadres. Todas hablan; todas cuentan —ya lo sabéis— desdichas, muertes, asolamientos, ruinas; la muchacha del rincón calla, vosotros no le dais gran importancia a la muchacha. Pero, durante un momento, las voces de las comadres enmudecen; entonces, en el breve silencio, tal vez como resumen o corolario a lo que se iba diciendo, suena una voz que dice:

—¡Ea, todas las cosas vienen por sus cabales!

Vosotros, que estábais inclinados sobre la lumbre, levantáis rápidamente la cabeza, sorprendidos. ¿Qué voz es ésta? —pensáis vosotros—. ¿Quién tiene esta entonación tan dulce, tan suave, tan acariciadora? ¿Cómo una breve frase puede ser dicha con tan natural y tan supremo arte? Y ya nuestras miradas no se apartan de esta moza de los ojos azules y de los labios rojos. Ella está inmóvil; sus brazos los tiene cruzados sobre el pecho; de cuando en cuando se encorva un poco, asiente a lo que oye con un ligero movimiento de cabeza, o pronuncia unas pocas palabras, mesuradas, corteses, acaso subrayadas por una dulce sonrisa de ironía...

¿Cómo, por qué misterio encontráis este espíritu aristocrático bajo las ropas y atavíos del campesino? ¿Cómo, por qué misterio desde un palacio del renacimiento, donde este espíritu se formaría hace tres siglos, ha llegado, en estos tiempos, a encontrarse en la modesta casilla de un labriego? Lector: yo oigo, sugestionado, las palabras dulces, melódicas, insinuantes, graves, sentenciosas, suavemente socarronas a ratos, de Juana María. Ésta es la mujer española.

DON RAFAEL

No he nombrado antes a don Rafael, porque, en realidad, don Rafael vive en un mundo aparte.

—Don Rafael, ¿cómo está usted? —le digo yo.

Don Rafael medita un momento en silencio, baja la cabeza, se mira las puntas de los pies, sube los hombros, contrae los labios, y me dice, por fin:

—Señor Azorín, ¿cómo quiere usted que esté yo? Yo estoy un poco echado a perder.

Don Rafael, pues, está un poco echado a perder. Él habita en un caserón vetusto; él vive solo; él se acuesta temprano; él se levanta tarde. ¿Qué hace don Rafael? ¿En qué se ocupa? ¿Qué piensa? No me lo preguntéis; yo no lo sé. Detrás de su vieja mansión se extiende una huerta; esta huerta está algo abandonada; todas las huertas de Argamasilla están algo abandonadas. Hay en ellas altos y blancos álamos, membrillos achaparrados, parrales largos, retorcidos. Y el río, por un extremo, pasa callado y transparente entre arbustos que arañan sus cristales. Por esta huerta pasea un momento cuando se levanta, en las mañanas claras, don Rafael. Luego marcha al Casino, tosiendo, alzándose el ancho cuello de su pelliza. Yo no sé si sabréis que en todos los casinos de pueblo existe un cuarto misterioso, pequeño, casi oscuro, donde el conserje arregla sus mixturas; a este cuarto acuden y en él penetran, como de soslayo, como a cencerros tapados, como hierofantes que van a celebrar un rito oculto, tales o cuales caballeros, que sólo aparecen con este objeto, presurosos, enigmáticos, por el Casino. Don Rafael entra también en este cuarto. Cuando sale, él da unas vueltas al sol por la ancha plaza. Ya es media mañana; las horas van pasando lentas; nada ocurre en el pueblo; nada ha ocurrido ayer; nada ocurrirá mañana. ¿Por qué don Rafael vive hace veinte años en este pueblo, dando vueltas por las aceras de la plaza, caminando por la huerta abandonada, viviendo solo en el caserón cerrado, pasando las interminables horas de los días crudos del invierno junto al fuego, oyendo crepitar los sarmientos, viendo bailar las llamas?

—Yo, señor Azorín —me dice don Rafael—, he tenido mucha actividad antes... —y después añade, con un gesto de indiferencia altiva—: Ahora ya no soy nada.

Ya no es nada, en efecto, don Rafael; tuvo antaño una brillante posición política; rodó por gobiernos civiles y por centros burocráticos; luego, de pronto, se metió en un caserón de Argamasilla. ¿No sentís una profunda atracción hacia estas voluntades que se han roto súbitamente, hacia estas vidas que se han parado, hacia estos espíritus que —como quería el filósofo Nietzsche— no han podido «sobrepujarse a sí mismos»[22]? Hace tres siglos, en Argamasilla comenzó a edificarse una iglesia; un día, la energía de los moradores del pueblo cesó de pronto; la iglesia, ancha, magnífica, permaneció sin terminar; media iglesia quedó cubierta; la otra media que-

---

[22] Nietzsche

Esta brevísima cita —cuatro palabras, ni siquiera una línea— va en cursiva (y no como aquí, entrecomillada) en El.

dó en ruinas. Otro día, en el siglo XVIII, en tierras de este término, intentóse construir un canal; las fuerzas faltaron asimismo, la gran obra no pasó de proyecto. Otro día, en el siglo XIX, pensóse en que la vía férrea atravesase por estos llanos; se hicieron desmontes; abrióse un ancho cauce para desviar el río; se labraron los cimientos de la estación; pero la locomotora no apareció por estos campos. Otro día, más tarde, en el correr de los años, la fantasía manchega ideó otro canal; todos los espíritus vibraron de entusiasmo; vinieron extranjeros; tocaron las músicas en el pueblo; tronaron los cohetes; celebróse un ágape magnífico; se inauguraron soberbiamente las obras, mas los entusiasmos, paulatinamente, se apagaron, se disgregaron, desaparecieron en la inacción y en el olvido... ¿Qué hay en esta patria del buen Caballero de la Triste Figura, que así rompe en un punto, a lo mejor de la carrera, las voluntades más enhiestas?

Don Rafael pasea por la huerta, solo y callado, pasea por la plaza, entra en el pequeño cuarto del Casino, no lee, tal vez no piensa.

—Yo —dice él— estoy un poco echado a perder.

Y no hay melancolía en sus palabras; hay una indiferencia, una resignación, un abandono...

MARTÍN

Martín está sentado en el patizuelo de su casa; Martín es un labriego. Las casas de los labradores manchegos son chiquitas, con un corralillo delante, blanqueadas con cal, con una parra que en el verano pone el verde presado de su hojarasca sobre la nitidez de las paredes.

—Martín —le dicen—, este señor es periodista.

Martín, que ha estado haciendo pleita sentado en una sillita terrera, me mira, puesto en pie, con sus ojuelos maliciosos, bailadores, y dice sonriendo:

—Ya, ya; este señor es de los que ponen las cosas en leyenda.

—Este señor —tornan a decirle— puede hacer que tú salgas en los papeles.

—Ya, ya —torna a replicar él, con una expresión de socarronería y de bondad—. ¿Conque este señor puede hacer que Martín, sin salir de su casa, vaya muy largo?

Y sonríe con una sonrisa imperceptible; mas esta sonrisa se agranda, se trueca en un gesto de sensualidad, de voluptuosidad, cuando, al correr de nuestra charla, tocamos en cosas atañederas a los yantares. ¿Tenéis idea vosotros de lo que significa esta palabra magnífica: *galianos?* Los *galianos* son pedacitos diminutos de torta, que se cuecen en un espeso caldo, salteados con trozos de liebre o de pollos. Este manjar es el amor supremo de Martín; no puede concebirse que sobre el planeta haya quien los aderece mejor que él; pensar tal cosa sería un absurdo enorme.

—Los *galianos* —dice sentenciosamente Martín— se han de hacer en caldero; los que se hacen en sartén no valen nada.

Y luego, cuando se le ha hablado largo rato de las diferentes ocasiones memorables en que él ha sido llamado para confeccionar este manjar, él afirma que de todas cuantas veces come de ellos, siempre encuentra mejores los que se halla comiendo, cuando los come.

—Lo que se come en el acto —dice él— es siempre lo mejor.

Y ésta es una grande, una suprema filosofía; no hay pasado ni existe porvenir: sólo el presente es lo real[23] y

---

[23] Sólo el presente es lo real

Que sólo existe el presente y en él confluye todo el Tiempo es idea azoriniana muy reiterada en su obra como lo muestra el texto siguiente (uno de los muchos que pudieran aducirse): «Y el secreto del Tiempo es... que el Tiempo no existe. Nos atemorizamos por un horrífico fantasma que no tiene existencia. No hay ni presente ni futuro. Todo es presente. Y puesto que todo es presente, ¿cómo no ha de estar ante nosotros lo que juzgamos que pasó para no volver? Pasar, no pasa nada. Desvanecerse en el Tiempo, no se desvanece nada. Creemos en el pasado porque no podemos asomarnos, ni por un resquicio, a lo Inmoble» (artículo «La condesa Trifaldi», recogido en el librito *El buen Sancho,* Madrid, 1954). Consúltese el estudio de Carlos Clavería, «Sobre el tema del Tiemes lo trascendental. ¿Qué importan nuestros recuerdos del pasado, ni qué valen nuestras esperanzas en lo futuro? Sólo estos suculentos *galianos* que tenemos delante, humeadores en su caldero, son la realidad única: a par de ellos el pasado y el porvenir son fantasías. Y Martín, gordezuelo, afeitado, tranquilo, jovial, con doce hijos, con treinta nietos, continúa en su patizuelo blanco bajo la parra, haciendo pleita, todos los días, un año y otro.

VII

LA PRIMERA SALIDA

Con Miguel hacia Puerto Lápice

Yo creo que le debo contar al lector, punto por punto, sin omisiones, sin efectos, sin lirismos, todo cuanto hago y veo. A las seis de la mañana, allá en Argamasilla, ha llegado a la puerta de mi posada Miguel, con su carrillo. Era ésta una hora en que la insigne ciudad manchega aún estaba medio dormida; pero yo amo esta hora, fuerte, clara, fresca, fecunda, en que el cielo está transparente, en que el aire es diáfano, en que parece que hay en la atmósfera una alegría, una voluptuosidad, una fortaleza que no existe en las restantes horas diurnas.

—Miguel —le he dicho yo—, ¿vamos a marchar?

—Vamos a marchar cuando usted quiera —me ha dicho Miguel.

Y yo he subido en un diminuto y destartalado carro; la jaca —una jaquita microscópica— ha comenzado a trotar vivaracha y nerviosa. Y, ya fuera del pueblo, la llanura ancha, la llanura infinita, la llanura desesperante, se ha extendido ante nuestra vista. En el fondo, allá en la línea remota del horizonte, aparecía una pincelada larga, azul, de un azul claro, tenue, suave; acá y allá, refulgiendo al sol, destacaban las paredes blancas, nítidas, de

---

po en» Azorín» págs. 49-67 en *Cinco estudios de literatura española moderna*, Salamanca, 1945.

las casas diseminadas en la campiña; el camino, estrecho, amarillento, se perdía ante nosotros, y de una banda y de otra, a derecha e izquierda, partían centenares y centenares de surcos, rectos, interminables, simétricos.

—Miguel —he dicho yo—, ¿qué montes son esos que se ven en el fondo?

—Esos montes —me contesta Miguel— son los montes de Villarrubia.

La jaca corre desesperada, impetuosa; las anchurosas piezas se suceden iguales, monótonas; todo el campo es un llano uniforme, gris, sin un altozano, sin la más suave ondulación. Ya han quedado atrás, durante un momento, las hazas sembradas, en que el trigo temprano o el alcacel comienzan a verdear sobre los surcos; ahora todo el campo que abarca nuestra vista es una extensión gris, negruzca, desolada.

—Esto —me dice Miguel— es *liego;* un año se hace la barbechera y otro se siembra.

Liego vale tanto como eriazo; un año las tierras son sembradas, otro año se dejan sin labrar, otro año se labran —y es lo que lleva el nombre de barbecho—, otro año se vuelven a sembrar. Así, una tercera parte de la tierra, en esta extensión inmensa de la Mancha, es sólo utilizada. Yo extiendo la vista por esta llanura monótona; no hay ni un árbol en toda ella; no hay en toda ella ni una sombra; a trechos, cercanos unas veces, distantes otras, aparecen en medio de los anchurosos bancales sembradizos diminutos, pináculos de piedra; son los *majanos;* de lejos, cuando la vista los columbra allá en la línea remota del horizonte, el ánimo desesperanzado, hastiado, exasperado, cree divisar un pueblo. Mas el tiempo va pasando; unos bancales se suceden a otros; y lo que juzgábamos poblado se va cambiando, cambiando en estos pináculos de cantos grises, desde los cuales, inmóvil, misterioso, irónico, tal vez un cuclillo —uno de estos innumerables cuclillos de la Mancha— nos mira con sus anchos y gualdos ojos...

Ya llevamos caminando cuatro horas; son las once; hemos salido a las siete de la mañana. Atrás, casi invisible, ha quedado el pueblo de Argamasilla; sólo nuestros ojos, al ras de la llanura, columbran el ramaje negro, fino, sutil, aéreo de la arboleda que exorna el río; delante destaca siempre, inevitable, en lo hondo, el azul, ya más intenso, ya más sombrío de la cordillera lejana. Por este camino, a través de estos llanos, a estas horas precisamente, caminaba una mañana ardorosa de julio el gran caballero de la triste figura; sólo recorriendo estas llanuras, empapándose de este silencio, gozando de la austeridad de este paisaje, es como se acaba de amar del todo íntimamente, profundamente, esta figura dolorosa. ¿En qué pensaba don Alonso Quijano, *el Bueno,* cuando iba por estos campos a horcajadas en Rocinante, dejadas las riendas de la mano, caída la noble, la pensativa, la ensoñadora cabeza sobre el pecho? ¿Qué planes, qué ideas imaginaba? ¿Qué inmortales y generosas empresas iba fraguando?

Mas ya, mientras nuestra fantasía —como la del hidalgo manchego— ha ido corriendo, el paisaje ha sufrido una mutación considerable. No os esperancéis; no hagáis que vuestro ánimo se regocije; la llanura es la misma; el horizonte es idéntico; el cielo es el propio cielo radiante; el horizonte es el horizonte de siempre, con su montaña zarca; pero en el llano han aparecido unas carrascas bajas, achaparradas, negruzcas, que ponen intensas manchas rotundas sobre la tierra hosca. Son las doce de la mañana; el campo es pedregoso; flota en el ambiente cálido de la primavera naciente un grato olor de romero, de tomillo y de salvia; un camino cruza hacia Manzanares. ¿No sería acaso en este paraje, junto a este camino, donde don Quijote encontró a Juan Haldudo[24], el vecino de Quintanar? ¿No fue ésta una de las más al-

---

[24] Juan Haldudo

El suceso de Haldudo con su criado Andrés y la intervención de don Quijote es aventura que corresponde a la primera salida del caballero y que se cuenta en el capítulo IV de la primera parte de la novela cervantina. (Se trata de una de las varias referencias explícitas a ella, utilizadas por Azorín para orientar y documentar su viaje.)

tas empresas del caballero? ¿No fue atado Andresillo a una de esas carrascas y azotado bárbaramente por su amo? Ya don Quijote había sido armado caballero; ya podía meter el brazo hasta el codo en las aventuras; estaba contento; estaba satisfecho; se sentía fuerte; se sentía animoso. Y entonces, de vuelta a Argamasilla, fue cuando deshizo este estupendo entuerto. «He hecho al fin —pensaba él— una gran obra.» Y en tanto, Juan Haldudo amarraba otra vez al mozuelo a la encina y proseguía en el despiadado vapuleo. Esta ironía honda y desconsoladora tienen todas las cosas de la vida...

Pero, lector, prosigamos nuestro viaje; no nos entristezcamos. Las quiebras de la montaña lejana ya se ven más distintas; el color de las faldas y de las cumbres, de azul claro ha pasado a azul gris. Una avutarda cruza lentamente, pausadamente, sobre nosotros; una banda de grajos, posada en un bancal, levanta el vuelo y se aleja graznando; la transparencia del aire, extraordinaria, maravillosa, nos deja ver las casitas blancas remotas; el llano continúa monótono, yermo. Y nosotros, tras horas y horas de caminata por este campo, nos sentimos abrumados, anonadados, por la llanura inmutable, por el cielo infinito, transparente, por la lejanía inaccesible. Y ahora es cuando comprendemos cómo Alonso Quijano había de nacer en estas tierras, y cómo su espíritu, sin trabas, libre, había de volar frenético por las regiones del ensueño y de la quimera. ¿De qué manera no sentirnos aquí desligados de todo? ¿De qué manera no sentir que un algo misterioso, que un anhelo que no podemos explicar, que un ansia indefinida, inefable, surge de nuestro espíritu? Esta ansiedad, este anhelo es la llanura gualda, bermeja, sin una altura, que se extiende bajo un cielo sin nubes hasta tocar, en la inmensidad remota, con el telón azul de la montaña. Y este ansia y este anhelo es el silencio profundo, solemne, del campo desierto, solitario. Y es la avutarda que ha cruzado sobre nosotros con aleteos pausados. Y son los montecillos de piedra, perdidos en la estepa, y desde los cuales, irónicos, misteriosos, nos miran los cuclillos...

Pero el tiempo ha ido transcurriendo: son las dos de la tarde; ya hemos atravesado rápidamente el pueblecillo de Villarta; es un pueblo blanco, de un blanco intenso, de un blanco mate, con las puertas azules. El llano pierde su uniformidad desesperante; comienza a levantarse el terreno en suaves ondulaciones; la tiera es de un rojo sombrío; la montaña aparece cercana, en sus laderas se asientan cenicientos olivos. Ya casi estamos en el famoso Puerto Lápiche. El puerto es un anchuroso paso que forma una depresión de la montaña; nuestro carro sube corriendo por el suave declive; muere la tarde; las casas blancas del lugar aparecen de pronto. Entramos en él; son las cinco de la tarde; mañana hemos de ir a la venta famosa donde don Quijote fue armado caballero.

Ahora, aquí, en la posada del buen Higinio Mascaraque, yo he entrado en un cuartito pequeño, sin ventanas, y me he puesto a escribir, a la luz de una bujía, estas cuartillas.

VIII

LA VENTA DE PUERTO LÁPICHE

Cuando yo salgo de mi cuchitril, en el mesón de Higinio Mascaraque, situado en Puerto Lápiche, son las seis de la mañana. Andrea —una vieja criada— está barriendo en la cocina con una escobita sin mango.

—Andrea, ¿qué tal? —le digo yo, que ya me considero como un antiguo vecino de Puerto Lápiche—. ¿Cómo se presenta el día? ¿Qué se hace?

—Ya lo ve usted —contesta ella—; *trajinandillo*[25].

---

[25] Trajinandillo

Es una forma peculiar manchega de diminutivo —«tiene una delicadeza idiomática notoria», según Víctor de la Serna (págs. 39 de *Por tierras de la Mancha,* Ciudad Real, 1959)—, junto con la terminación *-ejo, a.*

Yo le pregunto después si conoce a don José Antonio; ella me mira como extrañando que yo pueda creer que no conoce a don José Antonio.

—¡Don José Antonio! —exclama ella al fin—. ¡Pues si es más bueno este hombre!

Yo decido ir a ver a don José Antonio. Ya los trajineros y carreros de la posada están en movimiento; del patio los carros van partiendo. Pascual ha salido para Villarrubia con una carga de cebollas y un tablar de acelgas; Cesáreo lleva una bomba para vino a la quintería del brochero; Ramón va con un carro de vidriado con dirección a Manzanares. El pueblo comienza a despertar; hay en el cielo unos tenues nubarrones que poco a poco van desapareciendo; se oye el tintinear de los cencerros de unas cabras; pasa un porquero lanzando grandes y tremebundos gritos. Puerto Lápiche está formado sólo por una calle ancha, de casas altas, bajas, que entran, que salen, que forman recodos, esquinazos, rincones. La carretera, espaciosa, blanca, cruza por en medio. Y por la situación del pueblo, colocado en lo alto de la montaña, en la amplia depresión de la serranía abrupta, se echa de ver que este lugar se ha ido formando lentamente, al amparo del tráfico continuo, alimentado por el ir y venir sin cesar de viandantes.

Ya son las siete. Don José Antonio tiene de par en par su puerta abierta. Yo entro y digo, dando una gran voz:

—¿Quién está aquí?

Un señor aparece en el fondo, allá en un extremo de un largo y oscuro pasillo. Este señor es don José Antonio, es decir, es el médico único de Puerto Lápiche. Yo veo que, cuando se descubre, muestra una calva rosada, reluciente; yo veo también que tiene unos ojos anchos, expresivos; que lleva un bigotito gris sin guías, romo, y que sonríe, sonríe con una de esas sonrisas inconfundibles, llenas de bondad, llenas de luz, llenas de una vida interna intensa, tal vez de resignación, tal vez de hondo dolor.

—Don José Antonio —le digo, cuando hemos cambiado las imprescindibles frases primeras—, don José Antonio, ¿es verdad que existe en Puerto Lápiche aquella venta famosa en que fue armado caballero don Quijote?

—Ésa es mi debilidad —me dice—; esa venta existe, es decir, existía; yo he preguntado a todos los más viejos del pueblo sobre ella; yo he recogido todos los datos que me ha sido posible..., y —añade con una mirada con que parece pedirme excusas— he escrito algunas cosillas de ella, que ya verá usted luego.

Don José Antonio se halla en una salita blanca, desnuda; en un rincón hay una estufa; un poco más lejos destaca un aparador; en otro ángulo se ve una máquina de coser. Y encima de esa máquina reposan unos papeles grandes, revueltos. La señora de don José Antonio está sentada junto a la ventana.

—María —le dice don José Antonio—, dame esos papeles que están sobre la máquina.

Doña María se levanta y recoge los papeles. Yo tengo una grande, una profunda simpatía por estas señoras de pueblo; un deseo de parecer bien las hace ser un poco tímidas; acaso visten trajes un poco usados; quizá cuando se presenta un huésped, de pronto, en sus casas modestas, ellas se azoran levemente y enrojecen ante su vajilla de loza recia o sus muebles sencillos; pero hay en ellas una bondad, una ingenuidad, una sencillez, un ansia de agradar, que os hacen olvidar en un minuto, encantados, el mantel de hule, los desportillos de los platos, las inadvertencias de la criada, los besuqueos a vuestros pantalones de este perro terrible, a quien no habíais visto jamás y que ahora no puede apartarse de vuestro lado. Doña María le ha entregado los papeles a don José Antonio.

—Señor Azorín —me dice el buen doctor, alargándome un ancho cartapacio—, señor Azorín, mire usted en lo que yo me entretengo.

Yo cojo en mis manos el ancho cuaderno.

—Esto —añade don José Antonio— es un periódico que yo hago; durante la semana lo escribo de mi puño y letra; luego, el domingo, lo llevo al Casino; allí lo leen los socios y después me lo vuelvo a traer a casa para que la colección no quede descabalada.

En este periódico, don José Antonio escribe artículos sobre higiene, sobre educación, y da las noticias de la localidad.

—En este periódico —dice don José Antonio— es donde yo he escrito los artículos que antes he mencionado. Pero más luz que estos artículos, señor Azorín, le dará a usted el contemplar el sitio mismo de la célebre venta. ¿Quiere usted que vayamos?

—Vamos allá —contesto yo.

Y salimos. La venta está situado a la salida del pueblo; casi las postreras casas tocan con ella. Mas yo estoy hablando como si realmente la tal venta existiese, y la tal venta, amigo lector, no existe. Hay, sí, un gran rellano en que crecen plantas silvestres, Cuando nosotros llegamos ya el sol llena con sus luces doradas la campiña. Yo examino el solar donde estaba la venta; todavía se conserva, a trechos, el menudo empedrado del patio; un hoyo angosto indica lo que perdura del pozo; otro hoyo, más amplio, marca la entrada de la cueva o bodega. Y permanecen en pie, en el fondo, agrietadas, cuarteadas, cuatro paredes rojizas, que forman un espacio cuadrilongo, sin techo, resto del antiguo pajar. Esta venta era anchura, inmensa; hoy el solar mide más de ciento sesenta metros cuadrados. Colocada en lo alto del puerto, besando la ancha vía, sus patios, sus cuartos, su zaguán, su cocina estarían a todas horas rebosantes de pasajeros de todas clases y condiciones; a una banda del puerto se abre la tierra de Toledo; a otra, la región de la Mancha. El ancho camino iba recto desde Argamasilla hasta la venta. El mismo pueblo de Argamasilla era frecuentado de día y de noche por los viandantes que marchaban a una parte y a otra. «Es pueblo pasajero —dicen, en 1575, los vecinos en su informe a Felipe II—; es pueblo pasajero y que está en el camino real que va de Valencia y Murcia y Almansa y Yecla.» ¿Se comprende cómo don Quijote, retirado en un pueblecillo modesto, pudo allegar, sin salir de él, todo el caudal de sus libros de caballería? ¿No proporcionarían tales libros al buen hidalgo gentes de humor que pasaban de Madrid o de Valencia y que acaso se desahogarían de la fatiga del viaje charlando un rato amenamente con este caballero fantaseador? ¿Y no le dejarían gustosos, como recuerdo, a cambio de sus razones bizarras, un libro de *Amadís* o de *Tirante el blanco?*[26]. ¡Y cuánta casta de pintorescos tipos de gentes varias, de sujetos miserables y altos no debió de encontrar Cervantes en esta venta de Puerto Lápiche en las veces innumerables que en ella se detuvo! ¿No iba a cada momento de su amada tierra manchega a las regiones de Toledo? ¿No tenía en el pueblo toledano de Esquivias sus amores? ¿No descansaría en esta venta, veces y veces, entre pícaros, mozas del partido, cuadrilleros, gitanos, oidores, soldados, clérigos, mercaderes, titiriteros, trashumantes, actores?

Yo pienso en todo esto mientras camino, abstraído, por el ancho ámbito que fue patio de la posada; aquí veló don Quijote sus armas una noche de luna.

—Señor Azorín, ¿qué le parece a usted? —me pregunta don José Antonio.

—Está muy bien, don José Antonio —contesto yo.

Ya la niebla que velaba la lejana llanura se ha disipado. Enfrente de la venta destaca, a dos pasos, negruzca, con hileras de olivos en sus faldas, una montaña; de-

---

[26] *Amadís. Tirante el blanco*

El título completo de este famoso libro de caballerías es *Los quatro libros del virtuoso cauallero Amadís de Gaula,* cuya primera edición es de 1508 (Zaragoza, Jorge Coci); se conservan unos fragmentos manuscritos que datan del siglo XV (dados a conocer en 1956 por Rodríguez Moñino), cuyo descubrimiento modifica considerablemente lo sostenido hasta entonces acerca de Garci Rodríguez de Montalvo, refundidor y autor en mayor o menor medida de esta novela, continuada por el propio Montalvo en *Las sergas de Esplandiá, hijo de Amadís...* y por Feliciano de Silva en *Amadís de Grecia.*

Tirant lo Blanc es un importante libro de caballerías escrito en catalán y publicado por vez primera en Valencia (1490); de él se hizo una traducción al castellano impresa como anónima en Valladolid, 1511. En un a manera de colofón de la edición *princeps* se dice que Joan Martorell murió tras haber compuesto las tres primeras partes y que fue Martí Joan de Galba quien escribió la cuarta y última.

trás, aparece otro monte. Son las dos murallas del puerto. Ha llegado la hora de partir. Don José Antonio me acompaña un momento por la carretera adelante; él está enfermo; él tiene un cruelísimo y pertinaz achaque; él sabe que no se ha de curar; los dolores atroces han ido poco a poco purificando su carácter; toda su vida está hoy en sus ojos y en su sonrisa. Nos hemos despedido; acaso yo no ponga de nuevo mis pies en estos sitios. Y yo he columbrado a lo lejos, en la blancura de la carretera, cómo desaparecía este buen amigo de una hora, a quien no veré más...

IX

CAMINO DE RUIDERA

Las andanzas, desventuras, calamidades y adversidades de este cronista es posible que lleguen algún día a ser famosas en la historia. Después de las veinte horas de carro que la ida y la vuelta a Puerto Lápiche suponen, hétenos aquí ya en la aldea de Ruidera —célebre por las lagunas próximas—, aposentados en el mesón de Juan, escribiendo estas cuartillas, apenas echado pie a tierra, tras ocho horas de traqueteo furioso y de tumbos y saltos en los hondos relejes del camino, sobre los pétreos alterones. Hemos salido a las ocho de Argamasilla; la llanura es la misma llanura yerma, parda, desolada, que se atraviesa para ir a los altos de Puerto Lápiche; mas hay, por este extremo de la campiña, como alegrándola a trechos, acá y allá, macizos de esbeltos álamos, grandes chopos, que destacan confusamente, como velados, en el ambiente turbio de la mañana. Por esta misma parte por donde yo acabo de partir de la villa, hacía sus salidas el Caballero de la Triste Figura; su casa —hoy extensa bodega— lindaba con la huerta; una amena y sombría arboleda entoldaba gratamente el camino; cantaban en ella los pájaros; unas urracas, ligeras y elegantes, saltarían —como ahora— de rama en rama y desplegarían a trasluz sus alas de nítido blanco e intenso negro. Y el buen caballero, tal vez cansado de leer y releer en su estancia, iría caminando lentamente, bajo las frondas, con un libro en la mano, perdido en sus quimeras, ensimismado en sus ensueños. Ya sabéis que don Alonso Quijano, *el Bueno,* dicen que era el hidalgo don Rodrigo Pacheco. ¿Qué vida misteriosa, tremenda, fue la de este Pacheco? ¿Qué tormentas y desvaríos conmoverían su ánimo? Hoy, en la iglesia de Argamasilla, puede verse un lienzo patinoso, desconchado; en él, a la luz de un cirio que ilumina la sombría capilla, se distinguen unos ojos hundidos, espirituales, dolorosos, y una frente ancha, pensativa, y unos labios finos, sensuales, y una barba rubia, espesa, acabada en una punta aguda. Y debajo, en el lienzo, leemos que esta pintura es un voto que el caballero hizo a la Virgen por haberle librado de una «gran frialdad que se le cuajó dentro del cerebro» y que le hacía lanzar grandes clamores «de día y de noche...»[26bis].

Pero ya la llanura va poco a poco limitándose; el lejano telón azul, grisáceo, violeta, de la montaña, está más cerca; unas alamedas se divisan entre los recodos de las lomas bajas, redondeadas, henchidas suavemente. A nuestro paso, las picazas se levantan de los sembrados, revuelan un momento, mueven en el aire, nerviosas, su fina cola, se precipitan raudas, tornan a caer blandamente en los surcos... Y a las piezas paniegas suceden los viñedos; dentro de un momento nos habremos ya internado en los senos y rincones de la montaña. El cielo está limpio, diáfano; no aparece ni la más tenue nubecilla en la infinita y elevada bóveda de azul pálido. En una viña podan las cepas unos labriegos; entre ellos trabaja una moza, con la falda arrezagada, cubriendo sus piernas con unos pantalones hombrunos.

[26bis] Vid. la nota 17.

—Están sarmentando —me dice Miguel, el viejo carretero—; la moza tiene dieciocho años y es vecina mía.

Y luego, echando el busto fuera del carro, vocea, dirigiéndose a los labriegos:

—¡A ver cuándo rematáis y os marcháis a mis viñas!

El carro camina por un caminejo hondo y pedregoso; hemos dejado atrás el llano; desfilamos bordeando terrenos, descendiendo a hondonadas, subiendo de nuevo a oteros y lomazos. Ya hemos entrado en lo que los moradores de estos contornos llaman «la vega»; esta vega es una angosta y honda cañada yerma, por cuyo centro corre encauzado el Guadiana. Son las diez y media; ante nosotros aparece, vetusto y formidable, el castillo de Peñarroya[27]. Subimos hasta él. Se halla asentado en un eminente terraplén de la montaña; aún perduran de la fortaleza antigua un torreón cuadrado, sólido, fornido, indestructible, y las recias murallas —con sus barbacanas, con sus saeteras— que la cercaban. Y hay también un ancho salón, que ahora sirve de ermita. Y una viejecita menuda, fuerte como estos muros, rojiza como estos muros, es la que guarda el secular castillo y pone aceite en la lámpara de la iglesia. Yo he subido con ella a la recia torre; la escalerilla es estrecha, resbaladiza, lóbrega; dos anchas estancias constituyen los dos pisos. Y desde lo alto, desde encima de la techumbre, la vista descubre un panorama adusto, luminoso. La cañada se pierde a lo lejos en amplios culebreos; son negras las sierras bajas que la forman; los lentiscos —de un verde cobrizo— la tapizan, a rodales; las carrascas ponen su nota hosca y cenicienta. Y en lo hondo del ancho cauce, entre estos

---

[27] Castillo de Peñarroya

Fue un lugar decisivo durante la Reconquista, estando mucho tiempo en poder de los árabes hasta que en 1198 fue reconquistado por don Alonso Pérez de Sanabria; «uno de los prisioneros se presentó al conquistador y le dijo que si le perdonaba la vida le mostraría un gran tesoro. Accedió el capitán cristiano y el moro mostró ante sus asombrados ojos la imagen de la Virgen de Peñarroya, que estaba oculta. Esto ocurría a fines del siglo XII, y desde tal fecha, la imagen ha estado expuesta a la devoción de los fieles en la capilla del castillo» (José Antonio Vizcaíno, *Caminos de la Mancha,* Madrid, Alfaguara, 1966, pág. 200).

paredones sombríos, austeros, se despliega la nota amarilla, dorada de los extensos carrizales. Y en lo alto se extiende infinito el cielo azul, sin nubes.

—Los ingleses —me dice la guardadora del castillo— cuando vienen por aquí lo corren todo; parecen cabras: se suben a todas las murallas.

«Los ingleses —me decía don José Antonio en la venta de Puerto Lápiche— se llevan los bolsillos llenos de piedras.» «Los ingleses —me contaba en Argamasilla un morador de la prisión de Cervantes— entran aquí y se están mucho tiempo pensando; uno hubo que se arrodilló y besó la tierra dando gritos.» ¿No veis en esto el culto que el pueblo más idealista de la tierra profesa al más famoso y alto de todos los idealistas?

El castillo de Peñarroya no encierra ningún recuerdo quijotesco; pero, ¡cuántos días no debió de venir hasta él, traído por sus imaginaciones, el grande don Alonso Quijano! Mas es preciso que continuemos nuestro viaje; demos de lado a nuestros sueños. El día ha promediado; el camino no se aparta ni un instante del hondo cauce del Guadiana. Vemos ahora las mismas laderas negras, los mismos carrizos áureos; acaso un águila, en la lejanía, se mece majestuosa en los aires; más allá, otra águila se cierne con iguales movimientos rítmicos, pausados; una humareda azul, en la lontananza, asciende en el aire transparente, se disgrega, desaparece. Y en este punto, en nuestro andar incesante, descubrimos lo más estupendo, lo más extraordinario, lo más memorable y grandioso de este viaje. Una casilla baja, larga, con pardo tejadillo de tejas rotas, muéstrase oculta, arrebozada entre las gráciles enramadas de olmos y chopos; es un batán, mudo, envejecido, arruinado. Dos pasos más allá, otras paredes terreras y negruzcas destacan entre una sombría arboleda. Y delante, cuatro, seis, ocho robustos, enormes mazos de madera descansan inmóviles en espaciosas y recias cajas. Y un caudal espumeante de agua cae, rumoroso, estrepitoso, en la honda fosa donde la enorme rueda que hace andar los batanes permanece callada. Hay en el aire una diafanidad, una transparencia extraordinaria; el cielo es azul; el carrizal que lleva al río ondula con mecimientos suaves; las ramas finas y desnudas de los olmos se perfilan graciosas en el ambiente; giran y giran las águilas, pausadas; las urracas saltan y levantan sus colas negras. Y el sordo estrépito del agua, incesante, fragoroso, repercute en la angosta cañada...

Éstos, lector, son los famosos batanes[28] que en noche memorable, tanta turbación, tan profundo pavor llevaron a los ánimos de don Quijote y Sancho Panza. Las tinieblas habían cerrado sobre ellos el campo, habían caminado a tientas las dos grandes figuras por entre una arboleda; un son de agua apacible alegrólos de pronto; poco después, un formidable estrépito de hierros, de cadenas, de chirridos y de golpazos, los dejó atemorizados, suspensos. Sancho temblaba; don Quijote, transcurrido el primer instante, sintió surgir en él su intrepidez de siempre; rápidamente montó sobre el buen Rocinante; luego hizo saber a su escudero su propósito incontrastable de acometer esta aventura. Lloraba Sancho; porfiaba don Quijote; el estruendo proseguía atronador. Y en tanto, tras largos dimes y réplicas, tras angustiosos tártagos, fue quebrando lentamente la aurora. Y entonces amo y criado vieron, estupefactos, los seis batanes incansables, humildes, prosaicos, majando en sus recios cajones. Don Quijote quedóse un momento pensativo. «Miróle Sancho —dice Cervantes— y vio que tenía la cabeza inclinada sobre el pecho, con muestras de estar corrido...»

Y aquí acaeció, ante estos batanes que aún perduran, esta íntima y dolorosa humillación del buen man-

---

[28] Los famosos batanes

Se trata «de la jamás vista ni oída aventura», según la califica irónicamente Cervantes, que la cuenta en el capítulo XX de la primera parte. Pudieron estar emplazados estos batanes en el camino a Ruidera (una vez pasado el castillo de Peñarroya) o en otro lugar, dada su abundancia por esta comarca donde, por ejemplo, una de las lagunas de Ruidera (pasado ya el pueblo de este nombre en dirección a la cueva de Montesinos, camino que hará Azorín) es llamada Batana porque en sus orillas hubo un molino batanero.

chego; a la otra parte del río, vese aún espesa arboleda; desde ella, sin duda, es desde donde don Quijote y su escudero oirían sobrecogidos el ruido temeroso de los mazos. Hoy los batanes permanecen callados los más días del año; hasta hace poco trabajaban catorce o dieciséis en la vega. «Ahora —me dice el dueño de los únicos que aún trabajan—, con dos tan sólo bastan.» Y vienen a ellos los paños de Daimiel, de Villarrobledo, de la Solana, de la Alhambra, de Infantes, de Argamasilla; su mayor actividad tiénenla cuando el trasquileo se efectúa en los rebaños; luego, el resto del año, permanecen en reposo profundo, en tanto que el agua cae inactiva en lo hondo y las picazas y las águilas se ciernen, sobre ellos, en las alturas...

Y yo prosigo en mi viaje; pronto va a tocar a su término. Las lagunas de Ruidera comienzan a descubrir, entre las vertientes negras, sus claros, azules, sosegados, limpios espejos. El camino da una vuelta; allozos en flor —flores rojas, flores pálidas— bordean sus márgenes. Allá en lo alto aparecen las viviendas blancas de la aldea; dominándolas, protegiéndolas, surge, sobre el añil del cielo, un caserón vetusto[29]...

Paz de la aldea, paz amiga, paz que consuelas al caminante fatigado, ¡ven a mi espíritu!

---

[29] Caserón vetusto

> «Ruidera es un pueblecito de medio centenar de casas agrupadas [...] alrededor de un caserón gigantesco que disimula bastante bien su noble origen: los cartabones y el compás de don Juan de Villanueva. Es una vieja, abandonada y destartalada fábrica de pólvora que ocupa el lugar que, hace siglos, ocupaban unos molinos de la Orden de Santiago. De aquel patio lleno de rosales y de arbustos raros que hubo allí a fines del siglo XVIII apenas quedan algunos ejemplares que casi han regresado a su condición de escaramujos. De lo que fueron atarazanas del salitre, el azufre y el carbón con que se hicieron las últimas pólvoras imperiales de España para la Armada de Su Majestad Católica, sólo quedan las caries.» (Víctor de la Serna, *Por tierras de la Mancha,* Ciudad Real, 1959, pág. 49.)

X

LA CUEVA DE MONTESINOS

Ya el cronista se siente abrumado, anonadado, exasperado, enervado, desesperado, alucinado por la visión continua, intensa, monótona de los llanos de barbecho, de los llanos de eriazo, de los llanos cubiertos de un verdor imperceptible, tenue. En Ruidera, después de veintiocho horas de carro, he descansado un momento; luego, venida la mañana, aún velado el cielo por los celajes de la aurora, hemos salido para la cueva de Montesinos. Cervantes dice que de la aldea hasta la cueva median dos leguas; ésta es la cifra exacta. Y cuando se sale del poblado, por una callejuela empinada, tortuosa, de casas bajas, cubiertas de carrizo, cuando ya en lo alto de los lomazos hemos dejado atrás la aldea, ante nosotros se ofrece un panorama nuevo, insólito, desconocido, en esta tierra clásica de las llanadas; pero no menos abrumador, no menos uniforme que la campiña rasa. No es ya la llanura pelada; no son los surcos paralelos, interminables, simétricos; no son las lejanías inmensas que acaban con la pincelada azul de una montaña. Es, sí, un paisaje de lomas, de ondulaciones amplias, de oteros, de recuestos, de barrancos hondos, rojizos, y de cañadas que se alejan entre vertientes con amplios culebreos. El cielo es luminoso, radiante; el aire es transparente, diáfano; la tierra es de un color grisáceo, negruzco. Y sobre las colinas sombrías, hoscas, los romeros, los tomillos, los lentiscos extienden su vegetación acerada, enhiesta; los chaparrales se dilatan en difusas manchas; y las carrascas, con sus troncos duros, rígidos, elevan sus copas cenicientas, que destacan rotundas, enérgicas, en el añil intenso...

Llevamos ya una hora caminando a lomos de rocines infames; las colinas, los oteros y los recuestos se suceden unos a otros, siempre iguales, siempre los mismos, en un suave oleaje infinito; reina un denso silencio; allá a lo lejos, entre la fronda terrena y negra, brillan, refulgen, irradian las paredes nítidas de una casa; un águila se mece sobre nosotros blandamente; se oye, de tarde en tarde, el abaniqueo súbito y ruidoso de una perdiz que salta. Y la senda, la borrosa senda que nosotros seguimos, desaparece, aparece, torna a esfumarse. Y nosotros marchamos lentamente, parándonos, tornando a caminar buscando el escondido caminejo perdido entre lentiscos, chaparros y atochares.

—Estas sendas —me dice el guía— son sendas perdiceras, y hay que sacarlas por conjetura.

Otro largo rato ha transcurrido. El paisaje se hace más amplio, se dilata, se pierde en una sucesión inacabable de altibajos plomizos. Hay en esta campiña bravía, salvaje, nunca rota, una fuerza, una hosquedad, una dureza, una autoridad indómita que nos hace pensar en los conquistadores, en los guerreros, en los místicos, en las almas, en fin, solitarias y alucinadas, tremendas, de los tiempos lejanos. Ya, a nuestra derecha, la tierra cede de pronto y desciende en una rápida vertiente; nos encontramos en el fondo de una cañada. Y yo os digo que estas cañadas silenciosas, desiertas, que encontramos tras largo caminar, tienen un encanto inefable. Tal vez su fondo es arenoso; las laderas que lo forman aparecen rojizas, rasgadas por las lluvias; un allozo solitario crece en una ladera; se respira en toda ella un silencio sedante, profundo. Y si mana en un recodo, entre juncales, una fuentecica, sus aguas tienen un son dulce, susurrante, cariñoso, y en sus cristales transparentes se espeja acaso durante un momento una nube blanca que cruza lenta por el espacio inmenso. Nosotros hemos encontrado en lo hondo de este barranco un nacimiento tal como éstos; largo rato hemos contemplado sus aguas; después, con un vago pesar, hemos escalado la vertiente de la cañada y hemos vuelto a empapar nuestros ojos con la austeridad ancha del paisaje ya visto. Y caminábamos, caminábamos, caminábamos. Nuestras cabalgaduras tuercen, tornan a torcer, a la derecha, a la izquierda, entre cimas, entre chaparros, sobre lomas negras. Suenan las esquilas de un ganado; aparecen diseminadas acá y allá las cabras negras, rojas, blancas, que nos miran un instante atónitas, curiosas, con sus ojos brillantes.

—Ya estamos —grita el guía de pronto.

En la Mancha, «una tirada» son seis u ocho kilómetros; «estar cerca» equivale a estar a una distancia de dos kilómetros; «estar muy cerca» vale tanto como expresar que aún nos queda por recorrer un kilómetro largo. Ya estamos cerca de la cueva famosa; hemos de doblar un eminente cerro que se yergue ante nuestra vista; luego hemos de descender por un recuesto; después hemos de atravesar una hondonada. Y, al fin, ya realizadas todas estas operaciones, descubrimos en un declive una excavación somera, abierta en tierra roja.

«¡Oh señora de mis acciones y movimientos, clarísima y sin par Dulcinea del Toboso!»[30], gritaba el incomparable caballero, de hinojos ante esta oquedad roja, en día memorable, en tanto que levantaba al cielo sus ojos soñadores.

La empresa que iba a llevar a cabo era tremenda; tal vez pueda ser ésta reputada como la más alta de sus hazañas. Don Alonso Quijano, *el Bueno,* está inmóvil, arrogante, ante la cueva; si en su espíritu hay un leve temor en esta hora, no lo vemos nosotros.

Don Alonso Quijano, *el Bueno,* va a deslizarse por la honda sima. ¿Por qué no entrar donde él entrara? ¿Por qué no poner en estos tiempos, después que pasaron tres siglos, nuestros pies donde sus plantas firmes, audaces, se asentaron? Reparad en que ya el acceso a la cueva ha cambiado; antaño —cuando hablaba Cervantes— crecían en la ancha entrada tupidas zarzas, cambroneras y cabrahígos; ahora, en la peña lisa, se enrosca una parra desnuda. Las paredes recias, altas, de la espaciosa bóve-

---

[30] «¡Oh señora [...]!»

Son palabras de la invocación de don Quijote a Dulcinea, inmediatamente anteriores a su descenso a la cueva de Montesinos (capítulo XXII de la segunda parte del *Quijote).*

da son grises, bermejas, con manchones, con chorreaduras de líquenes verdes y líquenes gualdos. Y a punta de navaja y en trozos desiguales, inciertos, los visitantes de la cueva, en diversos tiempos, han dejado esculpidos sus nombres para recuerdo eterno. «Miguel Yáñez, 1854», «Enrique Alcázar, 1851», podemos leer en una parte. «Domingo Carranza, 1870», «Mariano Merlo, 1883», vemos más lejos. Unos peñascales caídos del techo cierran el fondo; es preciso sortear por entre ellos para bajar a lo profundo.

«¡Oh señora de mis acciones y movimientos —repite don Quijote—, clarísima y sin par Dulcinea del Toboso! Si es posible que lleguen a tus oídos las plegarias y rogaciones de este tu venturoso amante, por tu inaudita belleza te ruego las escuches, que no son otras que rogarte no me niegues tu favor y amparo ahora que tanto lo he menester.»

Los hachones están ya llameando; avanzamos por la lóbrega quiebra; no es preciso que nuestros cuerpos vayan atados con recias sogas; no sentimos contrariedad —como el buen don Alonso— por no haber traído con nosotros un esquilón para hacer llamadas y señales desde lo hondo; no saltan a nuestro paso ni siniestros grajos y cuervos, ni alevosos y elásticos murciélagos. La luz se va perdiendo en un leve resplandor allá arriba; el piso desciende en un declive suave, resbaladizo, bombeado; sobre nuestras cabezas se extiende anchurosa, elevada, cóncava, rezumante, la bóveda de piedra. Y como vamos bajando lentamente y encendiendo a la par hacecillos de hornija y hojarasca, un reguero de luces escalonadas se muestra en lontananza, disipando sus resplandores rojos las sombras, dejando ver la densa y blanca neblina de humo que ya llena la cueva. La atmósfera es densa, pesada; se oye de rato en rato, en el silencio, un gotear pausado, lento, de aguas que caen del techo. Y en el fondo, abajo, en los límites del anchuroso ámbito, entre unas quiebras rasgadas, aparece un agua callada, un agua negra, un agua profunda, un agua inmóvil, un agua misteriosa, un agua milenaria, un agua ciega que hace un sordo ruido indefinible —de amenaza y lamento— cuando arrojamos sobre ella unos pedruscos. Y aquí, en estas aguas que reposan eternamente, en las tinieblas, lejos de los cielos azules, lejos de las nubes amigas de los estanques, lejos de los menudos lechos de piedras blancas, lejos de los juncales, lejos de los álamos vanidosos que se miran en las corrientes; aquí, en estas aguas torvas, condenadas, está toda la sugestión, toda la poesía inquietadora de esta cueva de Montesinos...

Cuando nosotros hemos salido a la luz del día hemos respirado ampliamente. El cielo se había entoldado con nubajes plomizos; corría un viento furioso que hacía gemir en la montaña las carrascas; una lluvia fría, pertinaz, caía a intervalos. Y hemos vuelto a caminar, a caminar a través de oteros negros, de lomas negras, de vertientes negras. Bandadas de cuervos pasan sobre nosotros; el horizonte, antes luminoso, está velado por una cortina de nieblas grises; invade el espíritu una sensación de estupor, de anonadamiento, de *no-ser*.

«Dios os lo perdone, amigos, que me habéis quitado de la más sabrosa y agradable vida y vista que ningún humano ha visto ni pasado», decía don Quijote cuando fue sacado de la caverna.

El buen caballero había visto dentro de ella prados amenos y palacios maravillosos. Hoy don Quijote redivivo no bajaría a esta cueva; bajaría a otras mansiones subterráneas más hondas y temibles. Y en ellas, ante lo que allí viera, tal vez sentiría la sorpresa, el espanto y la indignación que sintió en la noche de los batanes, o en la aventura de los molinos, o ante los felones mercaderes que ponían en tela de juicio la realidad de su princesa. Porque el gran idealista no vería negada a Dulcinea; pero vería negada la eterna justicia y el eterno amor de los hombres.

Y estas dolorosas remembranzas es la lección[31] que sacamos de la cueva de Montesinos.

---

[31] Es la lección

Son la lección, se lee en EI.

XI

LOS MOLINOS DE VIENTO

Los molinitos de Criptana andan y andan.

—¡Sacramento! ¡Tránsito! ¡María Jesús!

Yo llamo, dando grandes voces, a Sacramento, a Tránsito y a María Jesús. Hasta hace un momento he estado leyendo en el *Quijote;* ahora la vela que está en la palmatoria se acaba, me deja en las tinieblas. Y yo quiero escribir unas cuartillas.

—¡Sacramento! ¡Tránsito! ¡María Jesús!

¿Dónde estarán estas muchachas? He llegado a Criptana hace dos horas; a lo lejos, desde la ventanilla del tren, yo miraba la ciudad blanca, enorme, asentada en una ladera, iluminada por los resplandores rojos, sangrientos, del crepúsculo. Los molinos, en lo alto de la colina, movían lentamente sus aspas; la llanura bermeja, monótona, rasa, se extendía abajo. Y en la estación, a la llegada, tras una valla, he visto unos coches vetustos[32]; uno de estos coches de pueblo, uno de estos coches en que pasean los hidalgos, uno de estos coches desteñidos, polvorientos, ruidosos, que caminan todas las tardes por una carretera exornada con dos filas de arbolillos menguados, secos. Dentro, las caras de estas damas —a quienes yo tanto estimo— se pegaban a los cristales escudriñando los gestos, los movimientos, los pasos de este viajero único, extraordinario, misterioso, que venía en primera con unas botas rotas y un sombrero grasiento. Caía

---

[32] Unos coches vetustos

Tras este plural (que no ofrece dudas), en los incisos que siguen (hasta tres dentro del párrafo), ¿nos inclinaremos por el singular —«uno de estos...», como en BR y en Obras Completas (pág. 290 tomo II)—, o por el plural —«unos de estos...», como encontramos en EI y en Obras Selectas (pág. 372a)?

la tarde; los coches han partido con estrépito de tablas y de herrajes; yo he emprendido la caminata por la carretera adelante, hacia el lejano pueblo. Los coches han dado la vuelta; las caras de estas buenas señoras —doña Juana, doña Angustias o doña Consuelo— no se apartaban de los cristales. Yo iba embozado en mi capa lentamente, como un viandante, cargado con el peso de mis desdichas. Los anchurosos corrales manchegos han comenzado a aparecer a un lado y a otro del camino; después han venido las casas blanqueadas, con las puertas azules; más lejos se han mostrado los caserones, con anchas y saledizas rejas rematadas en cruces. El cielo se ha ido entenebreciendo; a lo lejos, por la carretera, esfumados en la penumbra del crepúsculo, marchan los coches viejos, los coches venerables, los coches fatigados. Cruzan por las calles viejas enlutadas; suena una campana con largas vibraciones.

—¿Está muy lejos de aquí la fonda? —pregunto yo.

—Ésa es —me dicen señalando una casa.

La casa es vetusta; tiene un escudo; tiene de piedra las jambas y el dintel de la puerta; tiene rejas pequeñas; tiene un zaguán hondo, empedrado con menuditos cantos. Y cuando se pasa por la puerta del fondo se entra en un patio, a cuyo alrededor corre una galería sostenida por dóricas columnas. El comedor se abre a la mano diestra. He subido sus escalones; he entrado en una estancia oscura.

—¿Quién es? —ha preguntado una voz desde el fondo de las tinieblas.

—Yo soy —he dicho con voz recia; y después inmediatamente— un viajero.

He oído en el silencio un reloj que marchaba: «tic-tac, tic-tac»; luego se ha hecho un ligero ruido como de ropas movidas, y al final una voz ha gritado:

—¡Sacramento! ¡Tránsito! ¡María Jesús!

Y luego ha añadido:

—Siéntese usted.

¿Dónde iba yo a sentarme? ¿Quién me hablaba? ¿En qué encantada mansión me hallaba yo?

Criptana.—Molino de viento.

He preguntado tímidamente:
—¿No hay luz?
La voz misteriosa ha contestado:
—No; ahora la echan muy tarde.
Pero una moza ha venido con una vela en la mano. ¿Es Sacramento? ¿Es Tránsito? ¿Es María Jesús? Yo he visto que los resplandores de la luz —como en una figura de Rembrandt— iluminaban vivamente una carita ovalada, con una barbilla suave, fina, con unos ojos rasgados y unos labios menudos.
—Este señor —dice una anciana sentada en un ángulo— quiere una habitación; llévale a la de dentro.
La de dentro está bien adentro; atravesamos el patizuelo; penetramos por una puerta enigmática; torcemos a la derecha; torcemos a la izquierda; recorremos un pasillito angosto; subimos por unos escalones; bajamos por otros. Y al fin ponemos nuestras plantas en otro cuartito angosto, con el techo que puede tocarse con las manos, con una puerta vidriera, colocada en un muro de un metro de espesor y una ventana diminuta abierta en otro paredón del mismo ancho.
—Éste es el cuarto —dice la moza poniendo la palmatoria sobre la mesa.
Y yo le digo:
—¿Se llama usted Sacramento?
Ella se ruboriza un poco:
—No —contesta—, soy Tránsito.
Yo debiera haber añadido:
«¡Qué bonita es usted, Tránsito!»
Pero no lo he hecho, sino que he abierto el *Quijote* y me he puesto a leer en sus páginas. «En esto —leía yo a la luz de la vela— descubrieron treinta o cuarenta molinos de viento que hay en aquel campo...»[33]. La luz se

[33] Descubrieron treinta o cuarenta molinos de viento

Así comienza el capítulo VIII de la primera parte del *Quijote,* donde se refiere «la espantable y jamás imaginada aventura de los molinos de viento».

ha ido acabando; llamo a gritos. Tránsito viene con una nueva vela, y dice:

—Señor: cuando usted quiera, a cenar.

Cuando he cenado he salido un rato por las calles; una luna suave bañaba las fachadas blancas y ponía sombras dentelleadas de los aleros en medio del arroyo; destacaban confusos, misteriosos, los anchos balcones viejos, los escudos, las rejas coronadas de ramajes y filigranas, las recias puertas con clavos y llamadores formidables. Hay un placer íntimo, profundo, en ir recorriendo un pueblo desconocido entre las sombras; las puertas, los balcones, los esquinazos, los ábsides de las iglesias, las torres, las ventanas iluminadas, los ruidos de los pasos lejanos, los ladridos plañideros de los perros, las lamparillas de los retablos.., todo nos va sugestionando poco a poco, enervándonos, desatando nuestra fantasía, haciéndonos correr por las regiones del ensueño...

Los molinitos de Criptana andan y andan.

—Sacramento, ¿qué es lo que he de hacer hoy?

Yo he preguntado esto a Sacramento cuando he acabado de tomar el desayuno; Sacramento es tan bonita como Tránsito. Ya ha pasado la noche. ¿No será menester ir a ver los molinos de viento? Yo recorro las calles. De la noche al día va una gran diferencia. ¿Dónde está el misterio, el encanto, la sugestión de la noche pasada? Subo con don Jacinto por callejuelas empinadas, torcidas; en lo alto, dominando el pueblo, asentado sobre la loma, los molinos surgen vetustos; abajo, la extensión gris, negruzca, de los tejados, se aleja, entreverada con las manchas blancas de las fachadas, hasta tocar en el mar bermejo de la llanura.

Y ante la puerta de uno de esos molinos nos hemos detenido.

—Javier —le ha dicho don Jacinto al molinero—. ¿Va a marchar esto pronto?

—Al instante —ha contestado Javier.

¿Os extrañará que don Alonso Quijano, *el Bueno,* tomara por gigantes los molinos? Los molinos de viento eran, precisamente cuando vivía don Quijote, una novedad estupenda; se implantaron en la Mancha en 1575 —dice Richard Ford en su *Handbook for travellers in Spain*[34]. «No puedo yo pasar en silencio —escribía Jerónimo Cardano en su libro *De rerum varietate,* en 1580, hablando de estos molinos—, no puedo yo pasar en silencio que esto es tan maravilloso, que yo antes de verlo no lo hubiera podido creer sin ser tachado de hombre cándido.» ¿Cómo extrañar que la fantasía del buen manchego se exaltara ante estas máquinas inauditas, maravillosas?

Pero Javier ha trepado por los travesaños de las aspas de su molino y ha ido extendiendo las velas; sopla un viento furioso, desatado; las cuatro velas han quedado tendidas. Ya marchan lentamente las aspas, ya marchan rápidas. Dentro, la torrecilla consta de tres reducidos pisos: en el bajo se hallan los sacos de trigo, en el principppal es donde cae la harina por una canal ancha; en el último es donde rueda la piedra sobre la piedra y se deshace el grano. Y hay aquí en este piso unas ventanitas minúsculas, por las que se atalaya el paisaje. El vetusto aparato marcha con un sordo rumor. Yo columbro por una de estas ventanas la llanura inmensa, infinita, roja, a trechos verdeante; los caminos se pierden amarillentos en culebreos largos, refulgen paredes blancas en la lejanía; el cielo se ha cubierto de nubes grises; ruge el huracán. Y por una senda que cruza la ladera avanza un hormiguero de mujeres enlutadas, con las faldas a la cabeza, que han salido esta madrugada —como viernes de cuaresma— a besarle los pies al Cristo de Vi-

---

[34] Richard Ford

Es uno de los más famosos y verídicos viajeros decimonónicos por España y Azorín, que lo menciona con alguna frecuencia, elogiaría su obra diciendo (prólogo a *Lazarillo español,* de Ciro Bayo, 1911) que su *Handbook...* es «el mejor libro, el más completo, el más sugestivo que se ha escrito sobre España; en su primera edición contiene juicios e impresiones personalísimos, muchos de ellos agudos y originales; el autor viajaba por España a la manera que W. Irving viajó anteriormente, caprichosamente y por pequeñas jornadas; luego, con el fruto de sus observaciones, de sus visitas a los monumentos, de sus charlas con los labriegos y con los señores de los pueblos, trazó aquellas páginas en que se ve el reflejo de un espíritu penetrante».

llajos, en un distante santuario, y que tornan ahora, lentas, negras, pensativas, entristecidas, a través de la llanura yerma, roja...

—María Jesús —digo yo cuando llega el crepúsculo—, ¿tardará mucho en venir la luz?

—Aún tardará un momento —dice ella.

Yo me siento en la estancia entenebrecida; oigo el «tic-tac» del reloj; unas campanas tocan el *ángelus*. Los molinitos de Criptana andan y andan.

XII

LOS SANCHOS DE CRIPTANA

¿Cómo se llaman estos buenos, estos queridos, estos afables, estos discretísimos amigos de Criptana? ¿No son don Pedro, don Victoriano, don Bernardo, don Antonio, don Jerónimo, don Francisco, don León, don Luis, don Domingo, don Santiago, don Felipe, don Ángel, don Enrique, don Miguel, don Gregorio y don José[35]? A las cuatro de la madrugada, entre sueños suaves, yo he oído un vago rumor, algo como el eco lejano de un huracán, como la caída de un formidable salto de agua. Yo me despierto sobresaltado; suenan roncas bocinas, golpazos en las puertas, pasos precipitados. «¿Qué es esto? ¿Qué su-

---

[35] Don Pedro [...] y don José

Ante esta ringla de nombres de acompañantes y amigos de Azorín en Criptana, recurso azoriniano ya tópico, cabe recordar el consejo-improperio que a nuestro autor diera Unamuno (carta del 14-V-1907): «Tengo que insultar a don Pedro, a don Juan, a don Ramón, a don Pascual, a todos esos tan estúpidos como amables señores que dan su paseíto hasta el álamo del río y guardan todo el orgullo de su incomprensión. ¡Qué inespiritualidad, Dios mío! A usted le están estropeando y a mí me volverán loco si Dios no pone remedio... Mire usted, coja a Azorín del brazo, mándele a paseo por algún tiempo —comprendo que le tenga cariño—, saque de dentro el acre censor de antaño y haga restallar el látigo sobre *estas gentes*».

cede?», me pregunto aterrorizado. El estrépito crece; me visto a tientas, confuso, espantado. Y suenan en la puerta unos recios porrazos.

Y una voz grita:

—¡Señor Azorín! ¡Señor Azorín!

Entonces yo abro la puerta; a la luz de candiles, velas, hachones, distingo un numeroso tropel de hidalgos que grita, ríe, salta, gesticula y toca unos enormes caracoles que atruenan con estentóreos alaridos la casa toda.

—¡Señores! —exclamo yo cada vez más perplejo, más atemorizado.

Y uno de estos afectuosos, de estos discretos señores, se adelanta y va a hablar; de pronto todos callan; se hace un silencio profundo.

—Señor Azorín —dice este hidalgo—: nosotros somos los Sancho Panza de Criptana; nosotros venimos a incautarnos de su persona...

Yo continúo sin saber qué pensar. ¿Qué significa esto de que estos excelentes señores son los Sancho Panza de Criptana? ¿Dónde quieren llevarme? Mas pronto se aclara este misterio tremebundo; en Criptana no hay don Quijotes; Argamasilla se enorgullece con ser la patria del Caballero de la Triste Figura; Criptana quiere representar y compendiar el espíritu práctico, bondadoso y agudo del sin par Sancho Panza. El señor que acaba de hablar es don Bernardo; los otros son don Pedro, don Victoriano, don Antonio, don Jerónimo, don Francisco, don León, don Luis, don Domingo, don Santiago, don Felipe, don Ángel, don Enrique, don Miguel, don Gregorio y don José.

—Nosotros somos los Sanchos de Criptana —repite don Bernardo.

—Sí —dice don Victoriano—; en los demás pueblos de la Mancha, que se crean Quijotes si les place; aquí nos sentimos todos compañeros y hermanos espirituales de Sancho Panza.

—Ya verá usted apenas lleve viviendo aquí dos o tres días —añade don León— cómo esto se distingue de todo.

—Y para que usted lo compruebe más pronto —concluye don Miguel— nosotros hemos decidido secuestrarle a usted desde este instante.

—Señores —exclamo yo deseando hacer un breve discurso; mas mis dotes oratorias son bien escasas. Y yo me contento con estrechar en silencio las manos de don Bernardo, don Pedro, don Victoriano, don Antonio, don Jerónimo, don Francisco, don León, don Luis, don Domingo, don Santiago, don Felipe, don Ángel, don Enrique, don Miguel, don Gregorio y don José y nos ponemos en marcha todos; las caracolas tornan a sonar; retumban los pasos sonoros sobre el empedrado del patizuelo. Ya va quebrando el alba. En la calle hay una larga ringlera de tartanas, galeras, carros, asnos cargados con hacecillos de hornija, con sartenes y cuernos enormes llenos de aceite. Y en este punto, al subir a los carruajes, con la algazara, con el ir y venir precipitado, comienza a romperse la frialdad, la rigidez, el matiz de compostura y de ceremonia de los primeros momentos. Yo ya soy un antiguo Sancho Panza de esta noble Criptana. Yo voy metido en una galera entre don Bernardo y don León.

—¿Qué le parece a usted, señor Azorín, de todo esto? —me dice don Bernardo.

—Me parece perfectamente, don Bernardo —le digo yo.

Ya conocéis a don Bernardo; tiene una barba gris, blanca, amarillenta; lleva unas gafas grandes, y de la cadena de su reloj pende un diminuto diapasón de acero. Este diapasón quiere decir que don Bernardo es músico; añadiré —aunque lo sepáis— que don Bernardo es también farmacéutico. A la hora de caminar esta galera, por un camino hondo, ya don Bernardo me ha hecho una interesante revelación.

—Señor Azorín —me dice—, yo he compuesto un himno a Cervantes para que sea cantado en el centenario.

—Perfectamente, don Bernardo —contesto yo.

—¿Quiere usted oírlo, señor Azorín? —torna él a decirme.

—Con mucho gusto, don Bernardo —vuelvo yo a contestarle.

Y don Bernardo tose un poco, vuelve a toser y comienza a cantar en voz baja, mientras el coche da unos zarandeos terribles:

Gloria, gloria, cantad a Cervantes,
creador del Quijote *inmortal...*

La luz clara del día ilumina la dilatada y llana campiña; se columbra el horizonte limpio, sin árboles; una pincelada de azul intenso cierra la lejanía.

La galera camina y camina por el angosto caminejo. ¿Cuánto tiempo ha pasado desde nuestra salida? ¿Cuánto tiempo ha transcurrido aún? ¿Dos, tres, cuatro, cinco horas? Yo no lo sé; la idea de tiempo, en mis andanzas por la Mancha, ha desaparecido de mi cerebro.

—Señor Azorín —me dice don León—, ya vamos a llegar; falta una legua.

Y pasa un breve minuto en silencio. Don Bernardo inclina la cabeza hacia mí y susurra en voz queda:

—Este himno lo he compuesto para que se cante en el centenario del *Quijote*. ¿Ha reparado usted en la letra? Señor Azorín, ¿no podría usted decir de él dos palabras?

—¡Hombre, don Bernardo! —exclamo yo—. No necesita usted hacerme esta recomendación; para mí es un deber de patriotismo el hablar de ese himno.

—Muy bien, muy bien, señor Azorín —contesta don Bernardo satisfecho.

¿Pasa media hora, una hora, dos horas, tres horas? El coche da tumbos y retumbos; la llanura es la misma llanura gris, amarillenta, rojiza.

—Ya vamos a llegar —repite don León.

—Ahora, cuando lleguemos —añade don Bernardo—, tocaremos el himno en el armónium de la ermita...

—Ya vamos a llegar —torna a repetir don León.

Y transcurre una hora, acaso hora y media, tal vez dos horas. Yo os torno a asegurar que ya no tengo, ante estos llanos, ni la más remota idea del tiempo. Pero, al fin, allá sobre un montículo pelado, se divisa una casa. Esto es el Cristo de Villajos. Ya nos acercamos. Ya echamos pie a tierra. Ya damos pataditas en tierra para desentumecernos. Ya don Bernardo —este hombre terrible y amable— nos lleva a todos a la ermita, abre el armónium, arranca de él unos arpegios plañideros y comienza a gritar:

Gloria, gloria, cantad a Cervantes,
creador del Quijote *inmortal...*

Yo tengo la absurda y loca idea de que todos los himnos se parecen un poco, es decir, de que todos son lo mismo en el fondo. Pero este himno de don Bernardo no carece de cierta originalidad; así se lo confieso yo a don Bernardo.

—¡Ah, ya lo creo, señor Azorín, ya lo creo! —dice él, levantándose del armónium rápidamente.

Y luego, tendiéndome la mano, añade:

—Usted, señor Azorín, es mi mejor amigo.

Y yo pienso en lo más íntimo de mi ser: «Pero este don Bernardo, tan cariñoso, tan bueno, ¿será realmente un Sancho Panza, como él asegura a cada momento? ¿Tendrá más bien algo del espíritu de don Quijote?» Mas por lo pronto dejo sin resolver este problema; es preciso salir al campo, pasear, correr, tomar el sol, atalayar el paisaje —ya cien veces atalayado— desde lo alto de los repechos; y en estas gratas ocupaciones nos llega la hora del mediodía. ¿Os contaré punto por punto este sabroso, sólido, suculento y sanchopancesco yantar? Una bota magnífica —que el buen escudero hubiera codiciado— corría de mano en mano, dejando caer en los gaznates sutil néctar manchego; los ojos se iluminan; las lenguas se desatan. Estamos ya en los postres: ésta es precisamente la hora de las confidencias. Don Bernardo ladea su cabeza hacia mí; va a decirme, sin duda, algo importante. No sé por qué, tengo un vago barrunto de lo que don Bernardo va a decirme; pero yo estoy dispuesto siempre a oír con gusto lo que tenga a bien decirme don Bernardo.

—Señor Azorín —me dice don Bernardo—, ¿cree usted que este himno puede tener algún éxito?

—¡Qué duda cabe, don Bernardo! —exclamo yo con una convicción honda—. Este himno ha de tener un éxito seguro.

—¿Usted lo ha oído bien? —torna a preguntarme don Bernardo.

—Sí, señor —digo yo—; lo he oído perfectamente.

—No, no —dice él con aire de incredulidad—. No, no, señor Azorín; usted no lo ha oído bien. Ahora, cuando acabemos de comer, lo tocaremos otra vez.

Don Miguel, don Enrique, don León, don Gregorio y don José, que están cercanos a nosotros y que han oído estas palabras de don Bernardo, sonríen ligeramente. Yo tengo verdadera satisfacción en escuchar otra vez el himno de este excelente amigo.

Cuando acabamos de comer, de nuevo entramos en la ermita; don Bernardo se sienta ante el armónium y arranca de él unos arpegios; después vocea:

Gloria, gloria, cantad a Cervantes,
creador del Quijote *inmortal...*

—¡Muy bien, muy bien! —exclamo yo.

—¡Bravo, bravo! —gritan todos a coro.

Y hemos vuelto a subir por los cerros, a tomar el sol, a contemplar el llano monótono, mil veces contemplado. La tarde iba doblando; era la hora del regreso. Las caracolas han sonado; los coches se han puesto en movimiento; hemos tornado a recorrer el caminejo largo, interminable, sinuoso. ¿Cuántas horas han transcurrido? ¿Dos, tres, cuatro, seis, ocho, diez?

—¡Señores! —he exclamado yo en Criptana, a la puerta de la fonda, ante el tropel de los nobles hidalgos. Pero mis dotes oratorias son bien escasas, y yo me he contentado con estrechar efusivamente con verdadera cordialidad, por última vez, las manos de estos buenos, de estos afables, de estos discretísimos amigos don Bernardo, don Pedro, don Victoriano, don Antonio, don Jerónimo, don Francisco, don León, don Luis, don Domingo, don Santiago, don Felipe, don Ángel, don Enrique, don Miguel, don Gregorio y don José.

XIII

EN EL TOBOSO

El Toboso es un pueblo único, estupendo. Ya habéis salido de Criptana; la llanura ondula suavemente, roja, amarillenta, gris, en los trechos de eriazo, de verde imperceptible en las piezas sembradas. Andáis una hora, hora y media; no veis ni un árbol, ni una charca, ni un rodal de verdura jugosa. Las urracas saltan un momento en medio del camino, mueven nerviosas y petulantes sus largas colas, vuelan de nuevo; montoncillos y montoncillos de piedras grises se extienden sobre los anchurosos bancales. Y de tarde en tarde por un extenso espacio de sembradura, en que el alcacel apenas asoma, camina un par de mulas, y un gañán guía el arado a lo largo de los surcos interminables.

—¿Qué están haciendo aquí? —preguntáis un poco extrañados de que se destroce de esta suerte la siembra.

—Están rejacando —se os contesta naturalmente. *Rejacar* vale tanto como meter el arado por el espacio abierto entre surco y surco con el fin de desarraigar las hierbezuelas.

—Pero, ¿no estropean la siembra? —tornáis a preguntar—. ¿No patean y estrujan con sus pies los aradores y las mulas los tallos tiernos?

El carretero con quien vais sonríe ligeramente de vuestra ingenuidad; tal vez vosotros sois unos pobres hombres —como el cronista— que no habéis salido jamás de vuestros libros.

—¡Ca! —exclama este labriego—. ¡La siembra en este tiempo contra más se pise es mejor!

Los terrenos grisáceos, rojizos, amarillentos, se descubren, iguales todos, con una monotonía desesperante. Hace una hora que habéis salido de Criptana; ahora, por primera vez, al doblar una loma distinguís en la lejanía remotísima, allá en los confines del horizonte, una torre diminuta y una mancha negruzca, apenas visible en la uniformidad plomiza del paisaje. Esto es el pueblo del Toboso. Todavía han de transcurrir un par de horas antes de que penetremos en sus calles. El panorama no varía; veis los mismos barbechos, los mismos liegos hoscos, los mismos alcaceles tenues. Acaso en una distante ladera alcanzáis a descubrir un cuadro de olivos, cenicientos, solitarios, simétricos. Y no tornáis a ver ya en toda la campiña infinita ni un rastro de arboledas. Las encinas que estaban propincuas al Toboso y entre las que don Quijote aguardaba[36] el regreso de Sancho, han desaparecido. El cielo, conforme la tarde va avanzando, se cubre de un espeso toldo plomizo. El carro camina dando tumbos, levantándose en los pedruscos, cayendo en los hondos baches. Ya estamos cerca del poblado. Ya podéis ver la torre cuadrada, recia, amarillenta, de la iglesia y las techumbres negras de las casas. Un silencio profundo reina en el llano; comienzan a aparecer a los lados del camino paredones derruidos. En lo hondo, a la derecha, se distingue una ermita ruinosa, negra, entre árboles escuálidos, negros, que salen por encima de largos tapiales caídos. Sentís que una intensa sensación de soledad y de abandono os va sobrecogiendo. Hay algo en las proximidades de este pueblo que parece como una condensación, como una síntesis de toda la tristeza de la Mancha. Y el carro va avanzando. El Toboso es ya nuestro. Las ruinas de paredillas, de casas, de corrales han

---

[36] Las encinas [...] entre las que don Quijote aguardaba

Se alude a la situación final del capítulo VIII de la segunda parte del *Quijote* cuando, apostados cerca de El Toboso caballero y escudero, aquél decide dar tiempo al tiempo y «entrar en la ciudad entrada la noche».

El Toboso.—El labrador que encontró don Quijote al entrar en el pueblo.

ido aumentando; veis una ancha extensión de campo llano cubierta de piedras grises, de muros rotos, de vestigios de cimientos. El silencio es profundo; no descubrís ni un ser viviente; el reposo parece que se ha solidificado. Y en el fondo, más allá de todas estas ruinas, destacando sobre un cielo ceniciento, lívido, tenebroso, hosco, trágico, se divisa un montón de casuchas pardas, terrosas, negras, con paredes agrietadas, con esquinazos desmoronados, con techos hundidos, con chimeneas desplomadas, con solanas que se bombean y doblan para caer, con tapiales de patios anchamente desportillados...

Y no percibís ni el más leve rumor; ni el retumbar de un carro, ni el ladrido de un perro, ni el cacareo lejano y metálico de un gallo. Y veis los mismos muros agrietados, ruinosos; la sensación de abandono y de muerte que antes os sobrecogiera, acentúase ahora por modo doloroso a medida que vais recorriendo estas calles y aspirando este ambiente.

Casas grandes, anchas, nobles, se han derrumbado y han sido cubiertos los restos de sus paredes con bajos y pardos tejadillos; aparecen vetustas y redondas portaladas rellenas de toscas piedras; destaca acá y allá, entre las paredillas terrosas, un pedazo de recio y venerable muro de sillería; una fachada con su escudo macizo perdura, entre casillas bajas, entre un montón de escombros... Y vais marchando lentamente por las callejas; nadie pasa por ellas; nada rompe el silencio. Llegáis de este modo a la plaza. La plaza es un anchuroso espacio solitario; a una banda destaca la iglesia, fuerte, inconmovible, sobre las ruinas del poblado; a su izquierda se ven los muros en pedazos de un caserón solariego; a la derecha aparecen una ermita agrietada, caduca, y un largo tapial desportillado. Ha ido cayendo la tarde. Os detenéis un momento en la plaza. En el cielo plomizo se ha abierto una ancha grieta; surgen por ella las claridades del crepúsculo. Y durante este minuto que permanecéis inmóviles, absortos, contempláis las ruinas de este pueblo vetusto, muerto, iluminadas por un resplandor rojizo, siniestro. Y divisáis —y esto acaba de completar vuestra impresión—, divisáis, rodeados de este profundo silencio, sobre el muro ruinoso adosado a la ermita, la cima aguda de un ciprés negro, rígido, y ante su oscura mancha el ramaje fino, plateado, de un olivo silvestre, que ondula y se mece en silencio, con suavidad, a intervalos...

¿Cómo el pueblo del Toboso ha podido llegar a este grado de decadencia?, pensáis vosotros, mientras dejáis la plaza. «El Toboso —os dicen— era antes una población caudalosa; ahora no es ya ni la sombra de lo que fue en aquellos tiempos. Las casas que se hunden no tornan a ser edificadas; los moradores emigran a los pueblos cercanos; las viejas familias de los hidalgos —enlazadas con uniones consaguíneas desde hace dos o tres generaciones— acaban ahora sin descendencia.» Y vais recorriendo calles y calles. Y tornáis a ver muros ruinosos, puertas tapiadas; arcos despedazados. ¿Dónde estaba la casa de Dulcinea? ¿Era realmente Dulcinea esta Aldonza Zarco de Morales de que hablan los cronistas? En El Toboso abundan los apellidos de Zarco; la casa de la sin par princesa se levanta en un extremo del poblado, tocando con el campo; aún perduran sus restos. Bajad por una callejuela que se abre en un rincón de la plaza desierta; reparad en unos murallones desnudados de sillería que se alzan en el fondo; torced después a la derecha, caminad luego cuatro o seis pasos; deteneos al fin. Os encontráis ante un ancho edificio, viejo, agrietado; antaño esta casa debió de constar de dos pisos; mas toda la parte superior se vino a tierra, y hoy, casi al ras de la puerta, se ha cubierto el viejo caserón con un tejadillo modesto, y los desniveles y rajaduras de los muros de noble piedra se han tabicado con paredes de barro.

Ésta es la mansión de la más admirable de todas las princesas manchegas. Al presente[37] es una almazara pro-

---

[37] Al presente es...

A la almazara en que Azorín vio convertida la supuesta casa de Dulcinea de El Toboso, ha sucedido en días más recientes la instalación de una biblioteca cervantina, con mobiliario y objetos típicos de la Mancha.

saica. Y para colmo de humillación y vencimiento, en el patio, en un rincón, bajo gavillas de ramajes de olivo, destrozados, escarnecidos, reposan los dos magníficos blasones que antes figuraban en la fachada. Una larga tapia parte del caserón y se aleja hacia el campo cerrando la callejuela...

«Sancho, hijo, guía al palacio de Dulcinea, que quizá podrá ser que la hallemos despierta», decía a su escudero don Alonso, entrando en El Toboso a medianoche.

«¿A qué palacio tengo de guiar, cuerpo del sol —respondía Sancho—, que en el que yo vi a su grandeza no era sino casa muy pequeña?»[38].

La casa de la supuesta Dulcinea, la señora doña Aldonza Zarco de Morales, era bien grande y señorial[39]. Echemos sobre sus restos una última mirada; ya las sombras de la noche se allegan; las campanas de la alta y recia torre dejan caer sobre el poblado muerto sus vibraciones; en la calle del Diablo —la principal de la villa— cuatro o seis yuntas de mulas que regresan del campo arrastran sus arados con su sordo rumor. Y es un espectáculo de una sugestión honda ver a estas horas, en este reposo inquebrantable, en este ambiente de abandono y de decadencia, cómo se desliza de tarde en tarde, entre las penumbras del crepúsculo, la figura lenta de un viejo hidalgo con su capa, sobre el fondo de una redonda puerta cegada, de un esquinazo de sillares tronchado o de un muro ruinoso por el que asoman los allozos en flor o los cipreses...

---

[38] Sancho, hijo [...] muy pequeña?

Son dos párrafos del diálogo mantenido entre don Quijote y Sancho al comenzar el capítulo IX de la segunda parte, cuando ambos inician su recorrido por El Toboso.

[39] Señorial

Señoril, se lee en EI y en BR.

XIV

LOS MIGUELISTAS DEL TOBOSO

¿Por qué no he de daros la extraña, la inaudita noticia? En todas las partes del planeta el autor del *Quijote* es Miguel de Cervantes Saavedra; en El Toboso es sencillamente Miguel. Todos le tratan con suma cordialidad; todos se hacen la ilusión de que han conocido a la familia.

—Yo, señor Azorín —me dice don Silverio—, llego a creer que he conocido al padre de Miguel, al abuelo, a los hermanos y a los tíos.

¿Os imagináis a don Silverio? ¿Y a don Vicente? ¿Y a don Emilio? ¿Y a don Jesús? ¿Y a don Diego? Todos estamos en torno de una mesa cubierta de un mantel de damasco —con elegantes pliegues marcados—; hay sobre ella tazas de porcelana, finas tazas que os maravilla encontrar en el pueblo. Y doña Pilar —esta dama tan manchega, tan española, discretísima, afable— va sirviendo con suma cortesía el brebaje aromoso. Y don Silverio dice, cuando trascuela el primer sorbo, como excitado por la mixtura, como dentro ya del campo de las confesiones cordiales:

—Señor Azorín: que Miguel sea de Alcázar, está perfectamente; que Blas sea de Alcázar, también; yo tampoco lo tomo a mal; pero el abuelo, ¡el abuelo de Miguel!, no le quepa a usted duda, señor Azorín, el abuelo de Miguel era de aquí...

Y los ojos de don Silverio llamean un instante. Os lo vuelvo a decir: ¿os imagináis a don Silverio? Don Silverio es el tipo más clásico de hidalgo que he encontrado en tierras manchegas; existe una secreta afinidad, una honda correlación inevitable, entre la figura de don Silverio y los muros en ruinas del Toboso, las anchas puertas de medio punto cegadas, los tejadillos rotos, los largos tapiales desmoronados. Don Silverio tiene una cara pajiza, cetrina, olivácea, cárdena, la frente sobresale un poco; luego, al llegar a la boca, se marca un suave hundimiento, y la barbilla plana, aguda, vuelve a sobresalir y en ella se muestra una mosca gris, recia, que hace un perfecto juego con un bigote ceniciento, que cae descuidado, lacio, largo, por las comisuras de los labios. Y tiene don Silverio unos ojos de una expresión única, ojos que refulgen y lo dicen todo. Y tiene unas manos largas, huesudas, sarmentosas, que suben y bajan rápidamente en el aire, elocuentes, prontas, cuando las palabras surgen de la boca del viejo hidalgo, atropelladas, vivarachas, impetuosas, pintorescas. Yo siento una gran simpatía por don Silverio: lleva treinta y tres años adoctrinando niños en El Toboso. Él charla con vosotros cortés y amable. Y cuando ya ha ganado una poca de vuestra confianza, entonces el rancio caballero saca del bolsillo interior de su chaqueta un recio y grasiento manojo de papeles y os lee un alambicado soneto a Dulcinea. Y si la confianza es mucho mayor, entonces os lee también, sonriendo con ironía, una sátira terriblemente antifrailesca, tal como Torres Naharro la deseara para su *Propalladia*[40]. Y si la confianza logra aún más grados, entonces os lleva a que veáis una colmena que él posee, con una ventanita de cristal por la que pueden verse trabajar las abejas.

Todos estamos sentados en torno de una mesa; es esto como un círculo pintoresco y castizo de viejos rostros castellanos.

---

[40] Torres Naharro, *Propalladia*

Bartolomé Torres Naharro (¿1485-1520?), extremeño, eclesiástico, pasó la mayor parte de su vida en Roma cuya corrupción moral presentó con viveza en algunas de sus comedias «a noticia», como *Soldadesca* y *Tinellaria*. En la *Propalladia* (ofrenda a la diosa Palas Atenea), cuya primera edición sacó en Nápoles, 1517, reúne seis comedias («a noticia», unas, y «a fantasía», otras), número que aumentó en ediciones posteriores; en el proemio a este volumen expuso T. N. su teoría dramática, discordante en algunos aspectos de lo aceptado más comúnmente por entonces.

Don Diego tiene unos ojos hundidos, una frente ancha y una barba cobriza; es meditativo; es soñador; es silencioso; sonríe de tarde en tarde, sin decir nada, con una vaga sonrisa de espiritualidad y de comprensión honda. Don Vicente lleva —como pintan a Garcilaso— la cabeza pelada al rape y una barba tupida. Don Jesús es bajito, gordo y nervioso. Y don Emilio tiene una faz huesuda, angulosa, un bigotillo imperceptible y una barbita que remata en una punta aguda.

—Señor Azorín, quédese usted, yo se lo ruego; yo quiero que usted se convenza; yo quiero que lleve buenas impresiones del Toboso —dice vivamente don Silverio, gesticulando, moviendo en el aire sus manos secas, en tanto que sus ojos llamean.

—Señor Azorín —repite don Silverio—; Miguel no era de aquí; Blas, tampoco. Pero, ¿cómo dudar de que el abuelo lo era?

—No lo dude usted —añade doña Pilar sonriendo afablemente—; don Silverio tiene razón.

—Sí, sí —dice don Silverio—; yo he visto el árbol de la familia. ¡Yo he visto el árbol, señor Azorín! ¿Y sabe usted de dónde arranca el árbol?

Yo no sé en verdad[41] de dónde arranca el árbol de la familia de Cervantes.

—Yo no lo sé, don Silverio —confieso yo un poco confuso.

—El árbol —proclama don Silverio— arranca de Madridejos. Además, señor Azorín, en todos los pueblos estos inmediatos hay Cervantes; los tiene usted, o los ha tenido, en Argamasilla, en Alcázar, en Criptana, en El Toboso. ¿Cómo vamos a dudar que Miguel era de Alcázar? ¿Y no están diciendo que era manchego todos los nombres de lugares y tierras que él cita en el *Quijote* y que no es posible conocer sin haber vivido aquí largo tiempo, sin ser de aquí?

---

[41] En verdad

En realidad (EI).

—¡Sí, Miguel era manchego! —añade don Vicente, pasando la mano por su barba.

—Sí, era manchego —dice don Jesús.

—Era manchego —añade don Emilio.

—¡Ya lo creo que lo era! —exclama don Diego, levantando la cabeza y saliendo de sus remotas ensoñaciones.

Y don Silverio agrega, dando una recia voz:

—¡Pero váyales usted con esto a los académicos!

Y ya la gran palabra ha sido pronunciada. ¡Los académicos! ¿Habéis oído? ¿Os percatáis de toda la trascendencia de esta frase? En toda la Mancha, en todos los lugares, pueblos, aldeas que he recorrido, he escuchado esta frase, dicha siempre con una intencionada entonación. Los académicos, hace años, no sé cuántos, decidieron que Cervantes fuese de Alcalá y no de Alcázar; desde entonces, poco a poco, entre los viejos hidalgos manchegos ha ido formándose un enojo, una ojeriza, una ira contra los académicos. Y hoy en Argamasilla, en Alcázar, en El Toboso, en Criptana, se siente un odio terrible, formidable, contra los académicos. Y los académicos no se sabe a punto fijo lo que son; los académicos son, para los hombres, para las mujeres, para los niños, para todos, algo como un poder oculto, poderoso y tremendo; algo como una espantable deidad maligna, que ha hecho caer sobre la Mancha la más grande de todas las desdichas, puesto que ha decidido con sus fallos inapelables y enormes que Miguel de Cervantes Saavedra no ha nacido en Alcázar.

—Los académicos —dice don Emilio con profunda desesperanza— no volverán de su acuerdo por no verse obligados a confesar su error.

—Los académicos lo han dicho —añade don Vicente con ironía—, y ésa es la verdad infalible.

—¡Cómo vamos a rebatir nosotros —agrega don Jesús— lo que han dicho los académicos!

Y don Diego, apoyado el codo sobre la mesa, levanta la cabeza, pensativa, soñadora, y murmura en voz leve:

—¡Pchs, los académicos!

Y don Silverio, de pronto, da una gran voz, en tanto que hace chocar con energía sus manos huesudas, y dice:

—¡Pero no será lo que dicen los académicos, señor Azorín! ¡No lo será! Miguel era de Alcázar, aunque diga lo contrario todo el mundo. Blas también era de allí, y el abuelo era de El Toboso.

Y luego:

—Aquí, en casa de don Cayetano, hay una porción de documentos de aquella época; yo los estoy examinando ahora, y yo puedo asegurarle a usted que no sólo el abuelo, sino también algunos tíos de Miguel, nacieron y vivieron en El Toboso.

¿Qué voy a oponer yo a lo que me dice don Silverio? ¿Habrá alguien que encuentre inconveniente alguno en creer que el abuelo de Cervantes era del pueblo de El Toboso?

—Y no es esto solo —prosigue el buen hidalgo—; en El Toboso existe una tradición no interrumpida de que en el pueblo han vivido parientes de Miguel; aún hay aquí una casa a la que todos llamamos *la casa de Cervantes*. Y don Antonio Cano, convecino nuestro, ¿no se llama de segundo apellido Cervantes?

Don Silverio se ha detenido un breve momento; todos estábamos pendientes de sus palabras. Después ha dicho:

—Señor Azorín, puede usted creerme; estos ojos que usted ve han visto el propio escudo de la familia de Miguel.

Yo he mostrado una ligera sorpresa.

—¡Cómo! —he exclamado—. Usted, don Silverio, ¿ha visto el escudo?

Y don Silverio, con energía, con énfasis:

—¡Sí, sí; yo lo he visto! En el escudo figuraban dos ciervas; la divisa decía de este modo:

Dos ciervas en campo verde,
la una pace, la otra duerme;
la que pace, paz augura;
la que duerme, la asegura.

Y don Silverio, que ha dicho estos versos con una voz solemne y recia, ha permanecido un momento en silencio, con la mano diestra en el aire, contemplándome de hito en hito, paseando luego su mirada triunfal sobre los demás concurrentes.

Yo tengo un gran afecto por don Silverio; este afecto se extiende a don Vicente, a don Diego —el ensoñador caballero—, a don Jesús, a don Emilio —el de la barba aguda y la color cetrina—. Cuando nos hemos separado era medianoche por filo; no ladraban los perros, no gruñían los cerdos, no rebuznaban los jumentos, no mayaban los gatos, como en la noche memorable en que don Quijote y Sancho entraron en El Toboso[42]; reinaba un silencio profundo; una luna suave, amorosa, bañaba las callejas, llenaba las grietas de los muros ruinosos, besaba el ciprés y el olivo silvestre que crecen en la plaza...

XV

LA EXALTACIÓN ESPAÑOLA

EN ALCÁZAR DE SAN JUAN

Quiero echar la llave, en la capital geográfica de la Mancha, a mis correrías. ¿Habrá otro pueblo, aparte éste, más castizo, más manchego, más típico, donde más íntimamente se comprenda y se sienta la alucinación de estas campiñas rasas, el vivir doloroso y resignado de estos buenos labriegos, la monotonía y la desesperación de las horas que pasan y pasan lentas, eternas, en un ambiente de tristeza, de soledad y de inacción? Las calles son anchas, espaciosas, desmesuradas; las casas son ba-

---

[42] Entraron en El Toboso

Estas palabras azorinianas remiten de nuevo al capítulo IX de la segunda parte del *Quijote,* a su párrafo inicial.

jas, de un olor grisáceo, terroso, cárdeno; mientras escribo estas líneas, el cielo está anubarrado, plomizo; sopla, ruge, brama un vendaval furioso, helado; por las anchas vías desiertas vuelan impetuosas polvaredas; oigo que unas campanas tocan con toques desgarrados, plañideros, a lo lejos; apenas si de tarde en tarde transcurre por las calles un labriego enfundado en su traje pardo, o una mujer vestida de negro, con las ropas a la cabeza, asomando entre los pliegues su cara lívida; los chapiteles plomizos y los muros rojos de una iglesia vetusta cierran el fondo de una plaza ancha, desierta... Y marcháis, marcháis, contra el viento, azotados por las nubes de polvo, por la ancha vía interminable, hasta llegar a un casino anchuroso. Entonces, si es por la mañana, penetráis en unos salones solitarios, con piso de madera, en que vuestros pasos retumban. No encontráis a nadie; tocáis y volvéis a tocar en vano todos los timbres; las estufas reposan apagadas; el frío va ganando vuestros miembros. Y entonces volvéis a salir; volvéis a caminar por la inmensa vía desierta, azotado por el viento, cegado por el polvo; volvéis a entrar en la fonda —donde tampoco hay lumbre—; tornáis a entrar en vuestro cuarto, os sentáis, os entristecéis, sentís sobre vuestros cráneos, pesando formidables, todo el tedio, toda la soledad, todo el silencio, toda la angustia de la campiña y del poblado[43].

Decidme, ¿no comprendéis en estas tierras los ensueños, los desvaríos, las imaginaciones desatadas del grande loco? La fantasía se echa a volar frenética por estos llanos; surgen en los cerebros visiones, quimeras, fantasías torturadoras y locas. En Manzanares —a cinco leguas de Argamasilla— se cuentan mil casos de sortilegios, de encantamientos, de filtros, bebedizos y manjares dañosos que novias abandonadas, despechadas, han hecho tragar a sus amantes; en Ruidera —cerca también

[43] Del poblado

Del pueblo (El).

de Argamasilla— hace seis días ha muerto un mozo que dos meses atrás, en plena robustez, viera en el alinde de un espejo una figura mostrándole una guadaña, y que desde ese día fue adoleciendo y ahilándose poco a poco hasta morir. Pero éstos son casos individuales, aislados, y es en el propio Argamasilla, la patria de don Quijote, donde la alucinación toma un carácter colectivo, épico, popular. Yo quiero contaros este caso; apenas si hace seis meses que ha ocurrido. Un día, en una casa de pueblo, la criada sale dando voces de una sala y diciendo que hay fuego; todos acuden; las llamas son apagadas; el hecho, en realidad, carece de importancia. Mas dos días han transcurrido; la criada comienza a manifestar que ante sus ojos, de noche, aparece la figura de un viejo. La noticia, al principio, hace sonreír; poco tiempo después estalla otro fuego en la casa. Tampoco este accidente tiene importancia; mas tal vez despierta más vagas sospechas. Y al otro día otro fuego, el tercero, surge en la casa. ¿Cómo puede ser esto? ¿Qué misterio puede haber en tan repetidos siniestros? Ya el interés y la curiosidad están despiertos. Ya el recelo sucede a la indiferencia. Ya el temor va apuntando en los ánimos. La criada jura que los fuegos los prende este anciano que a ella se le aparece; los moradores de la casa andan atónitos, espantados; los vecinos se ponen sobre aviso; por todo el pueblo comienza a esparcirse la extraña nueva. Y otra vez el fuego torna a surgir. Y en este punto todos, sobrecogidos, perplejos, gritan que lo que pide esta sombra incendiaria son unas misas; el cura, consultado, aprueba la resolución; las misas se celebran; las llamas no tornan a surgir, y el pueblo, satisfecho, tranquilo, puede ya respirar libre de pesadillas...

Pero bien poco es lo que dura esta tranquilidad. Cuatro o seis días después, mientras los vecinos pasean, mientras toman el sol, mientras las mujeres cosen sentadas en las cocinas, las campanas comienzan a tocar a rebato. ¿Qué es esto? ¿Qué sucede? ¿Dónde es el fuego? Los vecinos saltan de sus asientos, despiertan de su estupor súbitamente, corren, gritan. El fuego es en la escuela del pueblo; no es tampoco —como los anteriores— gran cosa; mas ya los moradores de Argamasilla, recelosos, excitados, tornan a pensar en el encantador malandrín de los anteriores desastres. La escuela se halla frontera a la casa donde ocurrieron las pasadas quemas; el encantador no ha hecho sino dar un gran salto y cambiar de vivienda. Y el fuego es apagado; los vecinos se retiran satisfechos a casa. La paz es, sin embargo, efímera; al día siguiente las campanas vuelven a tocar a rebato; los vecinos tornan a salir escapados; se grita; se hacen mil cábalas; los nervios saltan; los cerebros se llenan de quimeras. Y durante cuatro, seis, ocho, diez días, por la mañana, por la tarde, la alarma se repite y la población toda, conmovida, exasperada, enervada, frenética, corre, gesticula, vocea, se agita pensando en trasgos, en encantamientos, en poderes ocultos y terribles. ¿Qué hacer en este trance? «¡Basta, basta! —grita al fin el alcalde—. ¡Que no toquen más las campanas aunque arda el pueblo entero!» Y estas palabras son como una fórmula cabalística que deshace el encanto; las campanas no vuelven a sonar; las llamas no tornan a surgir.

¿Qué me decís de esta exaltada fantasía manchega? El pueblo duerme en reposo denso, nadie hace nada; las tierras son apenas rasgadas por el arado celta; los huertos están abandonados; el Tomelloso, sin agua, sin más riegos que el caudal de los pozos, abastece de verduras a Argamasilla, donde el Guadiana, sosegado a flor de tierra, cruza el pueblo y atraviesa las huertas; los jornaleros de este pueblo ganan dos reales menos que los de los pueblos cercanos. Perdonadme, buenos y nobles amigos míos de Argamasilla: vosotros mismos me habéis dado estos datos. El tiempo transcurre lento en este marasmo; las inteligencias dormitan. Y un día, de pronto, una vieja habla de apariciones, un chusco simula unos incendios, y todas las fantasías, hasta allí en el reposo, vibran enloquecidas y se lanzan hacia el ensueño. ¿No es ésta la patria del gran ensoñador don Alonso Quijano? ¿No está en este pueblo compendiada la historia eterna de la tierra española? ¿No es esto la fantasía loca, irrazonada e impetuosa que rompe de pronto la inacción para caer otra vez estérilmente en el marasmo?

Y ésta es —y con esto termino— la exaltación loca y baldía que Cervantes condenó en el *Quijote;* no aquel amor al ideal, no aquella ilusión, no aquella ingenuidad, no aquella audacia, no aquella confianza en nosotros mismos, no aquella vena ensoñadora, que tanto admira el pueblo inglés en nuestro hidalgo, que tan indispensables son para la realización de todas las grandes y generosas empresas humanas, y sin las cuales los pueblos y los individuos fatalmente van a la decadencia...

PEQUEÑA GUÍA PARA LOS EXTRANJEROS QUE NOS VISITEN CON MOTIVO DEL CENTENARIO[44]

THE TIME THEY LOSE IN SPAIN

El doctor Dekker se encuentra entre nosotros; el doctor Dekker es, ante todo, F. R. C. S.; es decir, *Fellow of the Royal College of Surgeons;* después el doctor Dekker[45] es filólogo, filósofo, geógrafo, psicólogo, botánico,

---

[44] Con motivo del centenario

Se trata del tricentenario de la publicación de la primera parte del *Quijote* (1605), cuya celebración en España en 1905 documento en la Introducción.

[45] Doctor Dekker

«[...] el famoso doctor Dekker no existe; los que han afirmado desde el primer momento que era imposible que existiese tal ente, puesto que en inglés no se pueden juntar dos *kaes,* tienen razón; el doctor Dekker soy yo mismo que he aprendido en un periquete el idioma británico —cosa muy fácil— y le voy prestando a mi amigo [se trata de Azorín] tales o cuales frases para que él haga sus citas estupendas», así aclara Azorín en «Desdichas y malandanzas de Azorín en Levante», artículo pu-

numismático, arqueólogo. Una sencilla carta del doctor Pablo Smith[46], conocido de la juventud literaria española —por haber amigado años atrás con ella—, me ha puesto en relaciones con el ilustre miembro del Real Colegio de Cirujanos de Londres. El doctor Dekker no habita en ningún célebre hotel de la capital; ni el señor Capdevielle, ni el señor Baena, ni el señor Ibarra tienen el honor de llevarle apuntado en sus libros. ¿Podría escribir el doctor Dekker su magna obra si viviera en el Hotel de la Paz, o en el de París, o en el Inglés? No; el doctor Dekker tiene su asiento en una modestísima casa particular de nuestra clase media; en la mesa del comedor hay un mantel de hule —un poco blanco—; la sillería del recibimiento muestra manchas grasientas en su respaldo. *The best in the world!,* ha exclamado con entusiasmo el doctor Dekker al contemplar este espectáculo, puesto el pensamiento en el país de España, que es *el mejor del mundo.*

Y en seguida el doctor Dekker ha sacado su lápiz. Con este lápiz, caminando avizor de una parte a otra, como un *rifle-man* con su escopeta, el doctor Dekker ha comenzado ya a amontonar los materiales de su libro terrible. ¿Y qué libro es éste? Ya lo he dicho: *The time they lose in Spain.* El ilustre doctor me ha explicado en dos palabras el plan, método y concepto de la materia; yo lo he entendido al punto. El doctor Dekker está encantado de España; el doctor Dekker delira por Madrid: *The best in the world!,* grita a cada momento entusiasmado. ¿Y por qué se entusiasma de este modo el respetable doctor Dekker? «¡Ah! —dice él—, España es el país don-

---

blicado en *España* (número del 25-V-1904) y recogido en el libro *Tiempos y cosas* (1944), donde García Mercadal, su colector, incluye otros trabajos que tienen como protagonistas al escritor y a su doble.

[46] El doctor Pablo Smith

Acerca de este pintoresco personaje suizo que ayudó a los jóvenes del 98 en su conocimiento de la obra de Nietzsche, puede leerse el recuerdo que Azorín le dedica en el capítulo XLII de *Madrid* (1941), donde escribe (varias veces) Schmitz.

de se espera más.» Por la mañana, el doctor Dekker se levanta y se dirige confiado a su lavabo; sin embargo, el ilustre miembro del Real Colegio de Cirujanos de Londres sufre un ligero desencanto: en el lavabo no hay ni una gota de agua. El doctor Dekker llama a la criada; la criada ha salido precisamente en ese instante; sin embargo, va a servirle la dueña de la casa; pero la dueña de la casa se está peinando en este momento y hay que esperar de todos modos siete minutos. El doctor Dekker saca su pequeño cuaderno y su lápiz, y escribe: *Siete minutos.* ¿Saben en esta casa cuándo ha de desayunarse un extranjero? Seguramente que un extranjero no se desayuna a la misma hora que un indígena; cuando el doctor Dekker demanda el chocolate, le advierten que es preciso confeccionarlo. Otra pequeña observación: en España todas las cosas hay que hacerlas cuando deben estar hechas. El ilustre doctor torna a esperar quince minutos, y escribe en su diminuto cuaderno: *Quince minutos.*

El ilustre doctor sale de casa.

Claro está que todos los tranvías no pasan cuando nuestra voluntad quiere que pasen: hay un destino secreto e inexorable que lleva las cosas y los tranvías en formas y direcciones que nosotros no comprendemos. Pero el doctor Dekker es filósofo y sabe que cuando queremos ir a la derecha pasan siete tranvías en dirección a la izquierda, y que cuando es nuestro ánimo dirigirnos por la izquierda, los siete tranvías que corren van hacia la derecha. Pero esta filosofía del doctor Dekker no es óbice para que él saque un pequeño cuaderno y escriba: *Dieciocho minutos.*

¿Qué extranjero será tan afortunado que no tenga algo que dirimir en nuestras oficinas, ministerios o centros políticos? El doctor Dekker se dirige a un ministerio: los empleados de los ministerios —ya es tradicional, leed a Larra— no saben nunca nada de nada. Si supieran alguna cosa, ¿estarían empleados en un ministerio? El doctor Dekker camina por pasillos largos, da vueltas, cruza patios, abre y cierra puertas, hace preguntas a los porteros, se quita el sombrero ante oficiales primeros, segundos, terceros, cuartos y quintos, que se quedan mirándole, estupefactos, mientras dejan *El Imparcial* o *El Liberal* sobre la mesa. En una parte le dicen que allí no es donde ha de enterarse; en otra, que desconocen el asunto; en una tercera, que acaso lo sabrán en el negociado tal; en una cuarta, que «hoy precisamente, así al pronto, no pueden decir nada». Todas estas idas y venidas, saludos, preguntas, asombros, exclamaciones, dilaciones, subterfugios, cabildeos, evasivas, son como una senda escondida que conduce al doctor Dekker al descubrimiento de la suprema verdad, de la síntesis nacional, esto es, de que hay que *volver mañana.* Y entonces el ilustre doctor grita con más entusiasmo que nunca: *The best in the world!,* y luego echa mano de su cuaderno y apunta: *Dos horas.*

¿Podrá un extranjero que es filósofo, filólogo, numismático, arqueólogo, pasar por Madrid sin visitar nuestra Biblioteca Nacional?

El doctor Dekker recibe de manos de un portero unas misteriosas y extrañas pinzas; luego apunta en una papeleta la obra que pide, el idioma en que la quiere, el tomo que desea, el número de las pinzas, su propio nombre y apellido, las señas de su casa; después espera un largo rato delante de una pequeña barandilla. ¿Está seguro el ilustre doctor de que la obra que ha pedido se titula como él lo ha dicho? ¿No se tratará, acaso, de esta otra, cuyo título le lee un bibliotecario en una papeleta que trae en la mano? ¿O es que tal vez el libro que él desea están encuadernándolo y no se ha puesto aún en el índice? ¿O quizá no sucederá que las papeletas están cambiadas o que hay que mirar por el nombre del traductor en vez de empeñarse en buscar por el del autor? El bibliotecario, que busca y rebusca las señas de este libro, tiene una vaga idea... El doctor Dekker también tiene otra vaga idea, y escribe: *Treinta minutos.*

Pero es imposible detenerse en más averiguaciones; un amigo ha citado para tal hora al doctor Dekker, y el ilustre doctor sale precipitadamente para el punto de la cita. El insigne miembro del Real Colegio de Cirujanos de Londres ignora otra verdad fundamental de nuestra vida, otra pequeña síntesis nacional; y es que en Madrid un hombre discreto no debe acudir nunca a ninguna cita, y sobre no acudir, debe reprochar, además, su no asistencia a la persona que le ha citado, seguro de que esta persona le dará sus corteses excusas, puesto que ella no ha acudido tampoco. El doctor Dekker, al enterarse de este detalle trascendental, ha gritado de nuevo, henchido de emoción: *The best in the world!* Y al momento ha consignado en su cuaderno: *Cuarenta minutos.* ¿Habrá que decir también que el egregio doctor ha tenido que esperar a que pusieran la sopa, cuando ha regresado a su casa en demanda de su yantar, y que también ha escrito en su librillo: *Quince minutos?*

Nada más natural después de comer que ir a un café. Atravesar la Puerta del Sol es una grave empresa. Es preciso hendir grupos compactos en que se habla de la revolución social, sortear paseantes lentos que van de un lado para otro con paso sinuoso, echar a la izquierda, ladearse a la derecha, evitar un encontronazo, hacer largas esperas para poderse colar, al fin, por un resquicio... «Un hombre que viene detrás de mí —decía Montesquieu hablando de estos modernos tráfagos— me hace dar una media vuelta, y otro que cruza luego por delante me coloca de repente en el mismo sitio de donde el primero me había sacado. Yo no he caminado cien pasos y ya estoy más rendido que si hubiera hecho un viaje de seis leguas.»

Montesquieu no conoció nuestra Puerta del Sol; pero el ilustre doctor Dekker la ha cruzado y recruzado múltiples veces. Desde la esquina de Preciados hasta la entrada de la calle de Alcalá, estando libre el tránsito, podría tardarse, con andar sosegado, dos minutos; ahora se tarda seis. El doctor Dekker hiende penosamente la turba de cesantes, arbitristas, randas, demagogos, curas, chulos, policías, vendedores, y escribe en sus apuntes: *Cuatro minutos.* Y luego en el café, ya sentado ante la blanca mesa, un mozo tarda unos minutos en llegar a inquirir sus deseos; otros minutos pasan antes que el mismo mozo aporte los apechusques del brebaje, y muchos otros minutos transcurren también antes que el echador se percate de que ha de cumplir con la digna representación que ostenta. El doctor Dekker se siente conmovido. *Doce minutos,* consigna en su cartera, y sale a la calle.

¿Relataremos, punto por punto, todos los lances que le acontecen? En una tienda donde ha dado un billete de cinco duros para que cobrasen lo comprado, tardan en entregarle la vuelta diez minutos, porque el chico —cosa corriente— ha tenido que salir con el billete a cambiarlo.

En un teatro, para ver la función anunciada a las ocho y media en punto, ha de esperar hasta las nueve y cuarto; si mientras tanto coge un periódico con objeto de enterarse de determinado asunto, la incongruencia, el desorden y la falta absoluta de proporciones con que nuestras hojas diarias están urdidas le hacen perder un largo rato. El doctor Dekker desborda de satisfacción íntima. ¿Os percatáis de la alegría del astrónomo que ve confirmadas sus intuiciones remotas, o del paleontólogo que acaba de reconstruir con un solo hueso el armazón de un monstruo milenario, o del epigrafista que ha dado con un terrible enigma grabado en una piedra medio desgastada por los siglos? El doctor Dekker ha comprobado, al fin, radiante de placer, los cálculos que él hiciera, por puras presunciones, en su despacho de Fish-street-Hill.

Y cuando de regreso a su modesto alojamiento madrileño ya de madrugada, el sereno le hace aguardar media hora antes de franquearle la entrada, el eximio socio del Real Colegio de Cirujanos de Londres llega al colmo de su entusiasmo y grita por última vez, estentórea y jovialmente, pensando en este país, sin par en el planeta: *The best in the world!*

El famoso economista Novicow ha estudiado, en su libro *Los despilfarros de las sociedades modernas,* los infinitos lapsos de tiempo que en la época presente malgastamos en fórmulas gramaticales, en letras inútiles, impresas y escritas (195 millones de francos al año dice el autor que cuestan estas letras a los ingleses y franceses), en cortesías, en complicaciones engorrosas de pesos, medidas y monedas. El doctor Dekker, original humorista, y, a la vez, penetrante sociólogo, va a inaugurar, aplicando este método a los casos concretos de la vida diaria, una serie de interesantísimos estudios. Con este objeto ha llegado a España y marcha de una parte a otra todo el día con lápiz en ristre. Pronto podremos leer el primero de sus libros en proyecto. Se titula *The time they lose in Spain;* es decir, *El tiempo que se pierde en España.*

APÉNDICE GAZPACHERO

No podremos hacer el viaje de la Mancha —en ruta con don Quijote— sin saborearnos unos gazpachos. Cuando Sancho, gobernador, ex gobernador, sale maltrecho de Barataria, amoscado con el doctor Recio, piensa en los gazpachos (parte II, capítulo LIII). Sus palabras son éstas: «Más quiero hartarme de gazpachos que estar sujeto a la miseria de un médico impertinente.» «Unos mueren de atafea y otros del deseo della.» Sancho, en Barataria, perecía del deseo. Los gazpachos se guisan también en tierras de Levante, con especialidad en Yecla. No lo olvidemos; hay gazpacho, plato andaluz, y hay gazpachos, plato manchego. El gazpacho andaluz es frío, nutritivo; los gazpachos manchegos son calientes, sustanciosos. No tiene plural el gazpacho andaluz; no tienen singular los gazpachos manchegos. En realidad, los gazpachos de la Mancha —y esa es la razón de su plural— son los innúmeros trocitos de torta que los constituyen. Los gazpachos son consustanciales de la Mancha, de España. No nos imaginamos unos gazpachos en París, en los restaurantes lujosos de los alrededores de la Magdalena; se vería y se desearía un maestro cocinero para guisarlos; podrían ser, en el arte, un plato de prueba. No sabríamos con qué acompañarlos: si con borgoña, si con Saint-Emilion, si con el popular Beaujolais. No divaguemos; volvamos, en la Mancha, a los añicos, las menuzas, las trizas, los ápices de la no leudada torta. Podemos comer los gazpachos en su modo primitivo, elemental: en una mesita de pino, baja, con patas divergentes, despatarrada, cubierta con mantel de crudo esparto; comeremos con cuchara de palo, de duro y blanco boj; no será cosa de que llevemos la elementalidad al extremo: comer con cuchara formada con la misma torta. Podríamos ver en esa cuchara un símbolo, según el pueblo, cuando dice que una cosa dura «lo que cuchara de pan». Creo que en esta guisa, comidos en su secularidad, estaremos con los gazpachos, más cerca del concepto «Europa» que en mesa procazmente fastuosa. En el supuesto de que exista Europa y de que sea, entre otras cosas, sencillez, pristinidad.

Guardan relación los gazpachos con el lugar donde se comen; puede ser en la falda de un monte, entre carrascas, en un atochar. Hemos dejado la vecina Mancha y nos encontramos en Levante; todavía conservamos vestigios manchegos; es éste el antiguo —e indeterminado— «campo espartario». Estas mismas atochas han sido, hace siglos, muchos siglos, esquilmadas por los romanos para sogas de sus barcos, para crezneja de sus atadijos. No faltarán el enebro, ni la sabina, ni el romero con sus florecitas azuladas. Del enebro sale la miera con que curamos las ovejas, la ginebra con que nos confortamos. Los gazpachos agradecen también el enjalbegue blanco, nítido, de la Mancha y de Levante.

No desentonan tampoco los gazpachos —antes convienen— en una vieja y lóbrega almazara de ciudad histórica; almazara donde nos alumbramos con candiles y donde la prensa es todavía de viga (la vetustez en las almazaras ha desaparecido ya, según creo); yo, en mi puericia, he comido gazpachos con aceite nuevo, en el campo espartario, en almazara clásica, en ciudad milenaria; era de rigor probar en los gazpachos el aceite que se estaba elaborando: un aceite espeso, dorado, verdoso a veces, que «se crecía» en la sartén. Esto mismo que nosotros estamos ahora haciendo —mascar y moler— lo hicieron igualmente los romanos, y después los godos, y después los árabes, y, antes que todos, los fenicios. Advertimos, en un momento, condensada en la almazara toda la historia, viva y dramática, de España.

Gazpachos

Cher ami:

No he visto nunca publicada la receta auténtica de los gazpachos; vivo hace tiempo en mi retiro de Hinojar. Con masa sin levadura, bien heñida, se modelan las tortas del grosor de medio dedo escaso, y del tamaño de dos o tres palmos de grandes. En pleno campo se amasan sobre la cara curtida de una piel de cabra. Se doblan en dos dobleces para llevarlas al fuego más cómodamente y extenderlas; se cuecen en la pala, sobre fuego vivo, o se caldea la losa con hornija y, barrida, se pone la torta sobre la losa y se cubre con las brasas —que es el clásico procedimiento—, sacudiéndolas al sacarlas para que se desprendan la ceniza y las cortecillas tostadas. También se cuecen al horno. La cochura debe ser rápida, para que la torta quede tierna y algo tostada por fuera. Según se saca del fuego, se abriga entre mandiles de lana, para que *sude* y quede tierna. Está bien hecha la torta cuando, después de cocida, permite que se doble sin quebrantarse.

En una sartén se fríen con aceite abundante, que se reservará para los gazpachos, palominos y aves de corral o caza de pelo o pluma, y, seguidamente, se cuece la carne sin el aceite. Con el aceite reservado se fríen trozos de jamón o tocino, y también ñoras verdes y tomate como condimento. Todo esto último se cuece un rato en la misma sartén con el caldo en que se ha cocido la carne, agregando algo de agua, si no hay caldo suficiente, y la sal adecuada, y un pellizquito de pimienta molida.

Se desmenuzan las tortas, estrujando los cachos con los dedos para que se abran y quede más esponjoso el gazpacho. Se echan en la sartén, y también la carne; y para que el gazpacho no se escalde se le añade antes un poco de agua fría. Conviene que tengan mucho caldo para que se cuezan bien. Para evitar que se peguen, se va moviendo la sartén con volteos de vaivén, porque es preferible a moverlos con la freidera. Se sirven caldositos inmediatamente, volcando la sartén encima de una o varias tortas puestas a trozos sobre una fuente ancha y plana, o sobre un baleo de esparto. Se comen con esta misma torta impregnada, en vez de pan.

Los gazpachos llamados *viudos* se aderezan igual que los anteriores, pero fritos, sustituyendo la carne con hierbas (espinacas, acelgas, collejas, etcétera), sin cocerlas previamente. Estos gazpachos, aliñados en las almazaras con aceite nuevo, resultan también muy gustosos. (No crea usted que Hinojar se escribe con ele.) ¡Ay, cómo pasa el tiempo! Ya no volveré a ver la calle de Rívoli. No estoy, sin embargo, tan atropellada...

Adiós y hasta siempre. *María de los Llanos.*
Albacete, 1951.

Abro la carta, cerrada hace un momento, para hacer a usted una advertencia que me hace a mí Antonio, el manijero de Hinojar: los gazpachos requieren —«piden», dice Antonio— una ensalada de amargón, diente de león *(llitsó,* en Cataluña).

El amargón se da en toda España, en todo el planeta; creo que lo he visto con sus florecitas amarillas en algún jardín de París, en algún *square.* No se da en parte alguna amargón como en Hinojar. En cambio, no tenemos berros en la heredad. El amargón es Levante y los berros son Castilla. Alguna vez he pensado en escribir un *Recetario de las ensaladas de España.* Soñaba el ciego que veía; yo no puedo hacer nada.

Adiós, y veámonos.

María.

No me decido a cerrar la carta; se va usted a figurar que soy, como la heroína de cierta novela moderna, una retraída por fuerza. No hay tal cosa: con todos los bienes apetecibles, en pleno bienestar, siento cómo se me escapa el tiempo. Desde que los leí, no se apartan de mi memoria estos versos de Calderón, en su comedia *Hombre pobre, todo es trazas:*

> *En desengaño forzoso,*
> *ofendido y despreciado,*
> *no siento el ser desdichado:*
> *siento haber sido dichoso.*

Y ahora sí que me despido definitivamente y cordialísimamente.

M.

Colección Letras Hispánicas

ÚLTIMOS TÍTULOS PUBLICADOS

222 *El juguete rabioso,* ROBERTO ARLT.
Edición de Rita Gnutzmann.

223 *Poesías castellanas completas,* FRANCISCO DE ALDANA.
Edición de José Lara Garrido.

224 *Milagros de Nuestra Señora,* GONZALO DE BERCEO.
Edición de Michael Gerli (4.ª ed.).

225 *El árbol de la ciencia,* PÍO BAROJA.
Edición de Pío Caro Baroja (7.ª ed.).

226 *La lira de las Musas,* GABRIEL BOCÁNGEL.
Edición de Trevor J. Dadson.

227 *El siglo de las luces,* ALEJO CARPENTIER.
Edición de Ambrosio Fornet (2.ª ed.).

228 *Antología de nuestro monstruoso mundo. Duda y amor sobre el Ser Supremo,* DÁMASO ALONSO.
Edición del autor.

229 *En las orillas del Sar,* ROSALÍA DE CASTRO.
Edición de Xesús Alonso Montero (2.ª ed.).

230 *Escenas andaluzas,* SERAFÍN ESTÉBANEZ CALDERÓN.
Edición de Alberto González Troyano.

231 *Bodas de sangre,* FEDERICO GARCÍA LORCA.
Edición de Allen Josephs y Juan Caballero (7.ª ed.).

233 *Historias e invenciones de Félix Muriel,* RAFAEL DIESTE.
Edición de Estella Irizarry.

234 *La calle de Valverde,* MAX AUB.
Edición de José Antonio Pérez Bowie.

235 *Espíritu de la letra,* JOSÉ ORTEGA Y GASSET.
Edición de Ricardo Senabre.

236 *Bearn,* LORENZO VILLALONGA.
Edición de Jaime Vidal Alcover.

237 *El tamaño del infierno,* ARTURO AZUELA.
Edición de Jorge Rodríguez Padrón.

238 *Confabulario definitivo,* JUAN JOSÉ ARREOLA.
Edición de Carmen de Mora.

239 *Vida de Pedro Saputo,* BRAULIO FOZ.
Edición de Francisco y Domingo Ynduráin.

240-241 *Juan de Mairena,* ANTONIO MACHADO.
Edición de Antonio Fernández Ferrer.

242 *El señor de Bembibre,* ENRIQUE GIL Y CARRASCO.
Edición de Enrique Rubio (4.ª ed.).

243 *Libro de las alucinaciones,* JOSÉ HIERRO.
Edición de Dionisio Cañas (2.ª ed.)

244 *Leyendas,* GUSTAVO ADOLFO BÉCQUER.
Edición de Pascual Izquierdo (8.ª ed.).

245 *Manual de espumas / Versos Humanos,* GERARDO DIEGO.
Edición de Milagros Arizmendi.

246 *El secreto del Acueducto*, RAMÓN GÓMEZ DE LA SERNA.
Edición de Carolyn Richmond.
247 *Poesía de Cancionero*.
Edición de Álvaro Alonso (2.ª ed.).
248 *María*, JORGE ISAACS.
Edición de Donald McGrady (2.ª ed.).
249 *Comedieta de Ponça*, MARQUÉS DE SANTILLANA.
Edición de Maxim P. A. M. Kerkhof.
250 *Libertad bajo palabra*, OCTAVIO PAZ.
Edición de Antonio Castro (2.ª ed.).
251 *El matadero. La cautiva*, ESTEBAN ECHEVERRÍA.
Edición de Leonor Fleming (2.ª ed.).
252 *Cuento español de Posguerra*.
Edición de Medardo Fraile (3.ª ed.).
253 *El escándalo*, PEDRO ANTONIO DE ALARCÓN.
Edición de Juan B. Montes Bordajandi.
254 *Residencia en la tierra*, PABLO NERUDA.
Edición de Hernán Loyola (2.ª ed.).
255 *Amadís de Gaula I*, GARCI RODRÍGUEZ DE MONTALVO.
Edición de Juan Manuel Cacho Blecua (2.ª ed.)
256 *Amadís de Gaula II*, GARCI RODRÍGUEZ DE MONTALVO.
Edición de Juan Manuel Cacho Blecua (2.ª ed.).
257 *Aventuras del Bachiller Trapaza*, ALONSO DE CASTILLO SOLÓRZANO.
Edición de Jacques Joset.
258 *Teatro Pánico*, FERNANDO ARRABAL.
Edición de Francisco Torres Monreal.
259 *Peñas arriba*, JOSÉ MARÍA DE PEREDA.
Edición de Antonio Rey Hazas.
260 *Poeta en Nueva York*, FEDERICO GARCÍA LORCA.
Edición de María Clementa Millán (5.ª ed.).
261 *Lo demás es silencio*, AUGUSTO MONTERROSO.
Edición de Jorge Rufinelli.
262 *Sainetes*, RAMÓN DE LA CRUZ.
Edición de Francisco Lafarga.
263 *Oppiano Licario*, JOSÉ LEZAMA LIMA.
Edición de César López.
264 *Silva de varia lección*, I, PEDRO MEXÍA.
Edición de Antonio Castro.
265 *Pasión de la Tierra*, VICENTE ALEIXANDRE.
Edición de Gabriele Morelli.
266 *El villano en su rincón*, LOPE DE VEGA.
Edición de Juan María Marín.
267 *La tía Tula*, MIGUEL DE UNAMUNO.
Edición de Carlos A. Longhurst (4.ª ed.).
268 *Poesía / Hospital de incurables*, JACINTO POLO DE MEDINA.
Edición de Francisco Javier Díez de Revenga.
269 *La nave de los locos*, PÍO BAROJA.
Edición de Francisco Flores Arroyuelo.
270 *La hija del aire*, PEDRO CALDERÓN DE LA BARCA.
Edición de Francisco Ruiz Ramón.

271 *Edad,* ANTONIO GAMONEDA.
Edición de Miguel Casado (4.ª ed.).
272 *El público,* FEDERICO GARCÍA LORCA.
Edición de María Clementa Millán (3.ª ed.).
273 *Romances históricos,* DUQUE DE RIVAS.
Edición de Salvador García Castañeda.
275 *¿Pero hubo alguna vez once mil vírgenes?,* ENRIQUE JARDIEL PONCELA.
Edición de Luis Alemany.
276 *La Hora de Todos y la Fortuna con seso,* FRANCISCO DE QUEVEDO.
Edición de Jean Bourg, Pierre Dupont y Pierre Geneste.
277 *Poesía española del siglo XVIII.*
Edición de Rogelio Reyes.
278 *Poemas en prosa. Poemas humanos. España, aparta de mí este cáliz,* CÉSAR VALLEJO.
Edición de Julio Vélez (2.ª ed.).
279 *Vida de don Quijote y Sancho,* MIGUEL DE UNAMUNO.
Edición de Alberto Navarro González.
280 *Libro de Alexandre.*
Edición de Jesús Cañas Murillo.
281 *Poesía,* FRANCISCO DE MEDRANO.
Edición de Dámaso Alonso.
282 *Segunda Parte del Lazarillo.*
Edición de Pedro M. Piñero.
283 *Alma. Ars moriendi,* MANUEL MACHADO.
Edición de Pablo del Barco.
285 *Lunario sentimental,* LEOPOLDO LUGONES.
Edición de Jesús Benítez.
286 *Trilogía italiana. Teatro de farsa y calamidad,* FRANCISCO NIEVA.
Edición de Jesús María Barrajón.
287 *Poemas y antipoemas,* NICANOR PARRA.
Edición de René de Costa.
288 *Silva de varia lección,* II, PEDRO MEXÍA.
Edición de Antonio Castro.
289 *Bajarse al moro,* JOSÉ LUIS ALONSO DE SANTOS.
Edición de Fermín J. Tamayo y Eugenia Popeanga (6.ª ed.).
290 *Pepita Jiménez,* JUAN VALERA.
Edición de Leonardo Romero (3.ª ed.)
291 *Poema de Alfonso Onceno*
Edición de Juan Victorio.
292 *Gente del 98. Arte, cine y ametralladora,* RICARDO BAROJA.
Edición de Pío Caro Baroja.
293 *Cantigas,* ALFONSO X EL SABIO.
Edición de Jesús Montoya.
294 *Nuestro Padre San Daniel,* GABRIEL MIRÓ.
Edición de Manuel Ruiz-Funes.
295 *Versión Celeste,* JUAN LARREA.
Edición de Miguel Nieto.
296 *Introducción del símbolo de la fe,* FRAY LUIS DE GRANADA.
Edición de José María Balcells.

298 *La viuda blanca y negra,* RAMÓN GÓMEZ DE LA SERNA.
Edición de Rodolfo Cardona.
299 *La fiera, el rayo y la piedra,* PEDRO CALDERÓN DE LA BARCA.
Edición de Aurora Egido.
300 *La Colmena,* CAMILO JOSÉ CELA.
Edición de Jorge Urrutia (5.ª ed.).
301 *Poesía,* FRANCISCO DE FIGUEROA.
Edición de Mercedes López Suárez.
302 *El obispo leproso,* GABRIEL MIRÓ.
Edición de Manuel Ruiz-Funes Fernández.
303 *Teatro español en un acto.*
Edición de Medardo Fraile (2.ª ed.).
304 *Sendebar.*
Edición de M.ª Jesús Lacarra.
305 *El gran Galeoto,* JOSÉ ECHEGARAY.
Edición de James H. Hoddie.
306 *Naufragios,* ÁLVAR NÚÑEZ CABEZA DE VACA.
Edición de Juan Francisco Maura.
307 *Estación. Ida y vuelta,* ROSA CHACEL.
Edición de Shirley Mangini.
308 *Viento del pueblo,* MIGUEL HERNÁNDEZ.
Edición de Juan Cano Ballesta.
309 *La vida y hechos de Estebanillo González, I.*
Edición de Antonio Carreira y Jesús Antonio Cid.
310 *Volver,* JAIME GIL DE BIEDMA.
Edición de Dionisio Cañas (3.ª ed.).
311 *Examen de ingenios,* JUAN HUARTE DE SAN JUAN.
Edición de Guillermo Serés.
312 *La vida y hechos de Estebanillo González, II.*
Edición de Antonio Carreira y Jesús Antonio Cid.
313 *Amor de Don Perlimplín con Belisa en su jardín,* FEDERICO GARCÍA LORCA.
Edición de Margarita Ucelay.
314 *Su único hijo,* LEOPOLDO ALAS «CLARÍN».
Edición de Juan Oleza.
315 *La vorágine,* JOSÉ EUSTASIO RIVERA.
Edición de Monserrat Ordóñez.
316 *El castigo sin venganza,* LOPE DE VEGA.
Edición de Antonio Carreño.
318 *Canto general,* PABLO NERUDA.
Edición de Enrico Mario Santí.
319 *Amor se escribe sin hache,* ENRIQUE JARDIEL PONCELA.
Edición de Roberto Pérez.
320 *Poesía impresa completa,* CONDE DE VILLAMEDIANA.
Edición de José Francisco Ruiz Casanova.
321 *Trilce,* CÉSAR VALLEJO.
Edición de Julio Ortega.
322 *El baile. La vida en un hilo,* EDGAR NEVILLE.
Edición de María Luisa Burguera.

323 *Facundo,* DOMINGO SARMIENTO.
Edición de Roberto Yahni.
324 *El gran momento de Mary Tribune,* JUAN GARCÍA HORTELANO.
Edición de Dolores Troncoso.
325 *Espérame en Siberia, vida mía,* ENRIQUE JARDIEL PONCELA.
Edición de Roberto Pérez.
326 *Cuentos,* HORACIO QUIROGA.
Edición de Leonor Fleming.
327 *La taberna fantástica. Tragedia fantástica de la gitana Celestina,* ALFONSO SASTRE.
Edición de Mariano de Paco.
328 *Poesía,* DIEGO HURTADO DE MENDOZA.
Edición de Luis F. Díaz Larios y Olga Gete.
329 *Antonio Azorín,* JOSÉ MARTÍNEZ RUIZ, «AZORÍN».
Edición de Manuel Pérez.
330 *Épica medieval española.*
Edición de Carlos Alvar y Manuel Alvar.
331 *Mariana Pineda,* FEDERICO GARCÍA LORCA.
Edición de Luis Alberto Martínez Cuitiño.
332 *Los siete libros de la Diana,* JORGE DE MONTEMAYOR.
Edición de Asunción Rallo.
333 *Entremeses,* LUIS QUIÑONES DE BENAVENTE.
Edición de Christian Andrès.
334 *Poesía,* CARLOS BARRAL.
Edición de Carme Riera.
335 *Sueños,* FRANCISCO DE QUEVEDO.
Edición de Ignacio Arellano.
336 *La Quimera,* EMILIA PARDO BAZÁN.
Edición de Marina Mayoral.
337 *La Estrella de Sevilla,* ANDRÉS DE CLARAMONTE.
Edición de Alfredo Rodríguez.
338 *El Diablo Mundo. El Pelayo. Poesías,* JOSÉ DE ESPRONCEDA.
Edición de Domingo Ynduráin.
339 *Teatro,* JUAN DEL ENCINA.
Edición de Miguel Ángel Pérez Priego
340 *El siglo pitagórico,* ANTONIO ENRÍQUEZ.
Edición de Teresa de Santos.
341 *Ñaque. ¡Ay, Carmela!,* JOSÉ SANCHIS SINISTERRA.
Edición de Manuel Aznar Soler.
342 *Poesía,* JOSÉ LEZAMA LIMA.
Edición de Emilio de Armas.
345 *Cecilia Valdés,* CIRILO VILLAVERDE.
Edición de Jean Lamore.

DE PRÓXIMA APARICIÓN

Libro de Apolonio.
Edición de Dolores Corbella.
Fábulas literarias, TOMÁS DE IRIARTE.
Edición de Ángel L. Prieto de Paula.

